U0126908

2011文轩美术馆开馆展

无|法|缺|席

张达星 主编

四川出版集团 四川美术出版社

艺 术 家 作 品

[按 姓 氏 拼 音 排 列]

缺席与无法缺席

张达星（文轩艺术投资管理有限责任公司副董事长、文轩美术馆馆长）

在被称为多元时代的今天，是神创造了人还是劳动创造了人，这已经是不值得我们去据理力争的命题。但人的创造力所产生出来的能量深刻地影响着我们的社会生活，却是秉持任何一种观点的人都不会质疑的。而在人类的一切活动中，艺术创造力充满的激情，从人类踽踽独行的远古到信息时代的当下一直伴随着我们。作为在精神领域具有颠覆意义的当代艺术是人类文化史上的革命性事件。它不单在视觉范畴为我们提供了新的经验，毫无疑问它还将继续衍生，继续放大，继续传导，还会在很大程度上改变我们的未来观念。

我们注意到，在国际范围内，围绕着当代艺术运动，已经产生出了一大批文化巨匠及艺术大师。而晚到的中国艺术家们也兴致勃勃地跻身到这个行列里来，创造出了繁复多样、数目庞大的经典作品。从这些作品中所绽放出的以个人经验为基础的创作方法和视觉心智，让我们看到了当代中国人的独立、自由、勇敢与开放。

正是在艺术精神的激励下，我们成立了文轩艺术投资管理有限责任公司，并用中国速度在一年多的时间里筹建了旗下的文轩美术馆。[illegible]个多，我们获得了众多优秀艺术家、艺术院校、艺术机构及媒体的广泛支持与鼎力相助，没有这些朋友们的热情支持，在川西平原上的文轩美术馆远远不能变为一个在现实空间中的现实。

文轩美术馆把当代艺术确定为学术出发点及投资方向。我们认为当代艺术具有哲学、社会学和文化学的思想方法，具有突破性、实验性和偶发性的媒介方法，具有多元性、先锋性、创造性的批评方法，这些方法构成了它自身的完整体征。这个体征正好对应了当下社会文化的基本价值格局：相互独立、认同差异、包容接纳。

正因为有了对当代艺术主动的、正面的、积极的认识，我们才有可能不遗余力地在如此短的时间内筹划了文轩美术馆的开馆展。而策展人把展览主题设定为《无法缺席》。我们理解，这个主题鲜明而大胆的态度对所有关心中国文化发展的人都是一种提醒与质问。艺术理论家把国际当代艺术的发生时间确定为20世纪60年代中晚期。那个时期的中国正沉溺在一种狂热的革命情绪中，与国际社会保持着遥远的距离。紧接着的20世纪70年代末的改革开放，中国艺术家们才有机会窥望到了西方的艺术变迁。于是，经过三十年的艰苦追逐，中国艺术家们把西方的百年现当代艺术史完整地演练了一遍。这种勇气与实验精神无可厚非，但不无遗憾的却是，其间中国艺术的独立评价系统却是缺席的。由于没有自己的批评标准，没有自己的传导方式，没有自己的协调能力，中国当代艺术无法有效地转化到公共知识领域，也无法进入公众视野。

躬身自省，作为中国文化体制改革的先行者，文轩出版传媒有限责任公司几十年来一直坚持大众文化和精英文化双重组合的模式，涉及出版、发行、影视、教育、文化地产等众多领域，但在当代艺术的场域中仍然无一例外地缺席着。有人断言，19世纪是欧洲的世纪，20世纪是美国的世纪，21世纪是中国的世纪。我们没有能力来判断“21世纪是中国的世纪”这个断言的真伪，但我们相信，21世纪力图建立自己独立的价值标准却是中国人为之努力的目标之一。而文轩艺术投资管理机构正是希望与中国当代艺术的所有参与者一同把建立当代艺术的独立评判系统作为我们的工作理想。这次展览就是表明我们再也不做缺席者的最鲜明的态度。我们作为当代艺术最年轻的涉猎者，能够与这么多优秀的艺术家、策展人和评论家一起，共同成就这次展览，是我们的极大荣幸。

最后，要特别感谢四川省和成都市的文化领导者们对我们的支持与帮助，没有他们的关注与包容，这个展览不可能在短时间内得到呈现；要感谢新华文轩出版传媒股份有限公司董事长龚次敏先生、新华文轩出版传媒股份有限公司资本运营总监袁荣检先生，你们的睿智和大度，使得我们这个机构能够顺利的建成并成功的举办首次展览；还要感谢一年多来我们的工作团队，他们的艺术热情和忘我劳动，使得文轩艺术投资管理有限责任公司、文轩美术馆形成了高效率的工作局面。

当然，非常值得我们提出感谢的还有策展人、评论家和参展艺术家，没有你们的积极参与和无私奉献的作品，这个展览将永远只会停留在想象之中。

在这里，我们的艺术投资机构以及美术馆这幢多边形建筑期待着公众眼光的挑剔，希望经受起历史的凝视，并成为未来中国当代艺术不再缺席的同谋。

2011年2月

当艺术史终结和身份危机之后
——关于中国当代艺术的思考

黄　笃

当20世纪终结之时，人们总是对新千年满怀无比的憧憬和期望，因为历史经验表明，世纪交替之时是产生社会和文化的终结和开启的时刻——陷入危机、改变、剧变、决裂的现象。的确，当21世纪地平线刚刚升起时，对我们突如其来的震撼远远要大于惊喜，似乎验证了历史规律。那么，到底是什么原因造成了惊动世界的“9·11”事件？我们还未来得及长久思索，“阿富汗战争”和“伊拉克战争”及恐怖主义的袭击接踵而至，这几乎成为美国乃至西方无法解脱的噩梦。

与此同时，进入新千年的中国经济发展仍令世界注目。中国的迅速崛起是30年社会经济改革积累的结果，既取得了有目共睹的成就，也带出了诸多问题和病症，但一个不可否认的事实是，中国在全球化的世界系统中愈来愈扮演着重要角色。虽中国没有遭受恐怖主义的袭击，但它先后承受了“洪水”和“非典”等一系列灾难，尤其在2008年是一个非常不平静的年分，中国南方百年不遇的“大雪灾”，四川“5·12”大地震，北京奥运会。当我们还未从悲喜交加中缓过劲来时，一个措手不及的现实给我们立刻袭来——北京奥运会刚刚结束，从美国纽约爆发的“金融海啸”席卷全球，中国也难以幸免，所有人的信心似乎一夜之间丧失殆尽，于是，“过冬”就成为中国流行的关键词。这样的社会文化背景让我无法平静的是，如何在社会形态急转直下中梳理千头万绪的中国当代艺术，在沉思静虑中，我意识到，20世纪系统的分崩离析是历史的命运，而泥沙俱下的时代正意味着21世纪的重任与未来。作为一个策展人、批评家，虽不能承世界格局变幻之重，但可在微观事件的实践中探求理想之轻，也许，来自大时代的警世信息是否存在这个终结呢？艺术史终结，风格终结、身份危机、意识形态政治终结的观点不绝于耳。为什么会产生这样的终结？什么又是终结后的替代物？我认为，与其继续纠缠在后现代理论的争辩之中，倒不如从现实发生的艺术现象中去认识，去分析，去求证艺术裂变之根源。

所谓艺术史终结并不意味着艺术终结，而是指套用一种西方理论描述中国当代艺术现象的终结，或指借用一种中国传统理论阐释中国艺术现象的终结，也是指西方社会意识形态艺术理论指导中国艺术变化的终结。针对中国当代艺术发展中遇见的这些新问题，我们不得不以经验为依据，从历史经验中解开其症结所在。可以说，中国的当代艺术史概念大致来自三个基本方面：

一、中国当代艺术的理论判断大多来自西方现代艺术史的经验和逻辑，不管是现代主义的理论，还是后现代主义的理论，都是建立在西方的思想框架之中，当它们被挪用到对中国艺术现象分析中时，“中国现象”就顺理成章地被并入或编排到“现成品艺术”、“观念艺术”、“贫穷艺术”、“极少主义艺术”、“波普艺术”，甚至日本“物派”艺术风格流派的系统之中，而中国艺术的理论定位只能以展览名称确定，如70年代末的“星星画会”、“无名画会”，或以时间概念命名，如80年代的“85新潮”汇集成的89现代艺术大展，或以地域概念确定，如90年代的“本土艺术”、“海外艺术”。

然而，一旦放弃原来的那种展览命名方法，我们似乎又被西方知识系统所左右，并陷入西方中心主义的话语之中。

当然，面对如此的文化境遇，一些艺术批评家已意识到中国当代艺术被话语支配的症结，他们从“他者”或“他者政治”的眼光出发试图在理论上分析话语问题，以摆脱这种被西方中心主义话语支配的局面，但由于缺乏艺术实践的支撑，缺乏对文化语境的分析，他们的理论则显得没有生动而充分的说服力。

二、来自中国自身批评理论的建构出自反对西方中心主义的立场。中国的艺术批评理论长期以来在传统思想和传统美学中寻找出路，由于它大部分缺乏与西方当代艺术理论的横向比较，且缺乏当代艺术实践的具体判断，这样一种单一化的、形而上学的、理论不贴近实践的建构，不言而喻地成为了想象中的现代主义，或皈依了传统保守主义的牢笼，较为典型的案例数现代水墨理论。这是一条常流不断的线索，从20世纪初中国开始接受了西方现代性之后，在中国传统绘画中裂变出一支较温和的水墨改革派，并在这样一个现象中产生了非常杰出的艺术家，如黄宾虹、张大千、齐白石、潘天寿、李可染等。到了80年代之后，接受了西方现代主义的年轻一代艺术家开始了更为激进的抽象水墨实验，它一直持续至今，并成为被官方主流艺术收编的艺术风格。这两种艺术现象得到了数量相当大的中国批评理论的支持，但是遗憾的是，由于这种理论支持局限在与中国传统内部的自身比较之中，局限在风格样式的创新之中，局限在自说自在的玄学之中，所以无法开拓出令人信服的理论系统，成为与当代艺术之间存在距离的新传统主义。

三、研究中国当代艺术无法脱离社会主义意识形态的政治语境。1949年新中国的成立，艺术理论成了服务于政治的需要。毛泽东《在延安文艺座谈会上的讲话》提倡的文艺为工农兵服务的主张虽不能称之为真正的艺术理论，但在特殊的年代却成为近半个世纪中国官方艺术理论的前提，但到了60年代中期，却奇异般地具备了另类现代性的特征，它的“不破不立”、“艺术为人民服务”、“大鸣大放”、“破四旧、立四新”等口号深入人心，一方面实现了毛泽东文艺要为人民大众服务，使文艺成为团结人民、教育人民、打击敌人、消灭敌人的有力武器。这也最终成为他领导群众克服政治障碍的有效工具；另一方面又戏剧性地破除了中国传统文化思维系统的壁垒，使政治的“现代策略”转换成瓦解传统的现代性，而社会主义阶段中产生的政治史也牵连出了一个短暂的艺术史。最令人值得深刻反思的是，这种中国式的现代性竟然直接或间接影响了世界，它不仅深深影响了西方60年代风起云涌的学生运动，而且也推动了激进的“左派”现代艺术发展，更是对包括中国当代艺术中第一代艺术家（50年代出生）产生的深远影响，他们在90年代的艺术实践深深留下了批判性、破坏性、颠覆性的革命精神。

以上对三种与“艺术史”相关的社会和文化谱系的概述并不是要把这一艺术史经验带入对2000年以来不断涌现的新艺术的观察，而是要把它作为参照的依据，把它作为分析和超越的限度，因为这是一个长期性和持久性的学术研究工作，但由于这样的艺术史形成的艺术理论在今天的瓦解，它就必然迫使我们对一些焦点问题的关注和思考。什么是今天的艺术？今天的艺术与未来之间有着什么样的关联？主导进入21世纪中国当代艺术的契机在什么地方？回答这些问题依赖于西方经验、传统经验、政治经验的艺术史和理论显然是不够的，而只有首先面对发生在社会形态、文化形态、艺术形态的对象，才能寻找到新的可能，也只有在语境中、在实践中和在预想中，才能拓展我们对艺术的新视野。

什么是我们关注的对象呢？我认为，今天决定艺术史终结的重要原因之一来自展览形态，因为展览形态直面的是社会文化问题。它们两者之间近距离的博弈，消解了理论与实践远距离的相互观望。近10年来，中国的“双年展”、“三年展”和“文献展”如雨后春笋般的剧增，一般观点认为，这是一种无度的艺术膨胀，但我们是否发现，正是因为这些猛然出现的众多展览，才直接折射出艺术批评和艺术史写作的失语症，同时也反映了社会形态中的鱼目混珠、好坏参半、各种价值观的现象，社会系统中的无秩序化同样体现在艺术系统之中。但如果说不好的展览是因为遵循了已被解构的上述三种艺术理论的原则及商业化市场的影响，那么好展览显然突破了陈旧的艺术史逻辑，转向到新趋势的探索和对未来的展望。正是出于这样的艺术和认识和判断，研究展览形态则尤为重要，它是我们建构艺术史和艺术理论的基础。也就是说，尤其在今天当代艺术史和理论是在展览形态上建立的，它蕴涵了变幻无常、捉摸不定的艺术形态、文化形态、社会形态相互缠绕的复杂关系，而这种关系中又重叠着各种不同的断语和价值观。这里，仅选取2006年《上海双年展》、2007年《今日文献展》和2008年《广州三年展》作为典型的展览形态的案例，尝试提问艺术史终结是否在艺术形态中被解构。

从地缘政治上看，北京、上海、广州以鼎立之势形成了相互间的文化契合与比较。上海在20世纪30年代就被誉为东方的巴黎，汇集了当时的时尚、流行、品味、情调，引导着中国潮流，并产生了被认为是中国最早的现代艺术运动“决谰社”。即使在今天，上海仍秉承了30年代的审美遗风。广州一个世纪以来不仅蕴涵了革命和反抗的精神，而且也是与西方沟通的窗口，它以天高皇帝远的特殊位置，决定了近西方，远中原的开放意识。与上海和广州相比较，北京不仅因其是首都的政治权力中心，而且因古城八百多年的建都史也决定了它在现代与传统之间的冲突上尤为激烈。正是这三者之间显著的区别，也才使它们在当代艺术中充当不同的重要角色，塑造出中国现象中的艺术事件。

1996年诞生的《上海双年展》作为中国双年展化的新现象,它的开启无疑引导了中国的国际性艺术展的潮流，尽管以官方主办的背景决定了它必然要回避敏感的社会政治冲突性的问题，但它智慧地把展览理论架构建立在时尚、潮流、城市生态、设计基础之上，以其社会参与的方式推进中国当代艺术在社会公共空间现实意义上的存在。2006年《第六届上海双年展》选择了“超设计”（Hyper–Design）为主题，所谓超设计是以设计理念为核心，设计的范围则打破了设计的局限，把跨学科、跨领域、跨文化、跨社会作为艺术渗透的策略，强调社会语境中的文化设计和艺术设计，拒绝单一的艺术史逻辑中的当代艺术模式，试图挖掘和实验当代艺术领域之外的各种可能性。

与《上海双年展》不同，2002年《第一届广州三年展》似乎肩负了以重写艺术史为己任，尽管三年后的2005年《第二届广州三年展》在侯瀚如的策展中重新回归到西方理论系统，但它的对象则是中国境内的区域文化——珠江三角洲社会语境的分析。2008年《第三届广州三年展》“向后殖民说再见”的主题旗帜鲜明地向西方中心主义提出了挑战。至于能不能说再见，再见的语境是否成立，一时成为中国当代艺术界讨论的话题。

正是基于对西方艺术理论及思想理论的质疑以及中国当代艺术现状的积极反应，北京今日美术馆的《首届今日文献展》于2007年应运而生，但一个问题是，北京的大型当代艺术展为什么来得如此迟缓？为什么在等待多年之后，在与《上海双年展》、《广州三年展》的比较中它才得以脱颖而出呢？这一看起来仿佛是艺术的问题实则是社会问题，政治问题，权力话语问题。中国意识形态与当代艺术的紧张关系只有在北京这个具有浓厚的政治权力、传统势力、前卫艺术的三角博弈中才能够体现得淋漓尽致。在30年间，北京出现的前卫艺术总以爆发式形态左右中国当代艺术的进程，一旦产生新的艺术，必要以惊世骇俗登场，比如1979年的《星星画展》、1989年的《中国现代艺术展》对中国美术馆的两次冲击，其社会影响至今余波未尽。然而，正是洞察到这一背景，第二个问题是，相比之下，《今日文献展》似乎风平浪静，我们如何解释其展览形态30年之间的变化？这一看似复杂的问题其实非常简单，中国当代艺术在今天已经从意识形态的艺术转换成社会形态中的艺术，而在此之前，中国前卫艺术在社会主义意识形态中的生存实质就是一个政治艺术史或艺术政治史，而北京艺术的展览形态不仅是观测中国另类艺术史终结的晴雨表，同时也是折射新旧意识形态在转型过程中的并存特征，所以，《今日文献展》（主题“能量：精神、身体、物质”）挑战的对象不再仅仅是纠缠在政治旋涡中的艺术，而是针对西方艺术史逻辑、中国艺术史逻辑和政治艺术史逻辑，更重要的是针对中国社会语境里艺术中的政治，而正是由于后者，艺术史的终结才构成了批评的合理性。

由于篇幅的原因，难以讨论中国的展览形态何以替代了艺术史，中国社会的艺术语境何以替代了艺术理论，但至少我们发现了很多问题，在转换角度中，在探索中国当代艺术中，建立起自身的主体性。但我要强调一点是，如果我们认同中国社会语境中的当代艺术是以开放姿态进入到我们的视野，那么北京所谓得天独厚的天时地理也将随着艺术的多元化被地域文化的强势所替代，包括上海和广州的特殊优势。这也正是在我们强调《上海双年展》、《广州三年展》、北京《今日文献展》重要意义的同时，决不可忽视《深圳雕塑双年展》、《成都双年展》、《平遥摄影双年展》和《南京三年展》等在中国当代艺术史中扮演的重要角色，这里正好以2008年《第三届南京三年展》（主题是“亚洲方位”）为案例，它在中国首次提出了亚洲的主体性，并把长期以来东方跟随西方及其观测视角转移到在亚洲内部的对话、交流以及价值协商。倘若假设存在艺术史终结，那么什么将替代终结之后的价值观？“第三届南京三年展”的实践无疑提供了又一个大胆尝试的例证。

毋庸置疑，时尚、潮流、艺术史重写、理论与展览的互动、艺术实践与针对性以及社会语境中的艺术形态都是中国当代艺术向20世纪告别，向新世纪迈进的决定性策略，但是我们在肯定以往成果的同时仍需清醒的洞悉，西方现代主义和后现代主义是经过百年历练的文化结晶，它不仅是资本主义的文化逻辑，而且也是西方两千年人文主义的积淀，中国传统文化同样也是在更为悠久历史积淀中建构起来的文化系统和民族国家，而20世纪两种意识形态下的社会变迁更是触目惊心，当我们今天展望未来向过去告别时，并非丢弃历史珍贵遗产，相反的是，我们的未来一定是在与历史达成契约中，共同观看此时此地发生的一切。

2000年之后的中国当代艺术在整体上处于一个“去身份化”和“转身份化”的新时期。“去身份化”是针对90年代西方中心主义关于身份问题及其文化语境提出的看法。“转身份化”则是从变革的中国社会语境中发现符合当代艺术发展的需要。二者虽不可同日而语，但面对的问题却是一致的，都是从文化冲突的全球政治中探求中国当代艺术的发展之路——从发生的、流动的、变化的艺术现象、艺术形态、艺术风格中对身份的重新考察，包括对身份的新的解剖与确认。其实，身份并不是一种时髦的风格，而是包含了深刻的历史和政治意义。1989年马尔丹（Jean-Hubert Martin）在巴黎篷皮杜艺术中心策划的《大地魔术师》展揭开了身份在艺术领域中讨论的序幕。它是在反对以欧美为中心的西方文化霸权的语境中，在回应全球化的社会潮流中，探讨中心与边缘、西方与非西方的区域文化问题。它结合了地缘政治、民族性、原始性、混杂性以及东方与西方之间意识形态的对抗，在多重的复杂关系中，在对身份的确认中牵引出90年代全球范围内新的当代艺术格局。[1] 在这样的文化背景下，90年代的中国当代艺术被区割成“海外艺术”和“本土艺术”两股力量。尽管两者之间在艺术的针对性上南辕北辙，但它们都无法摆脱西方中心主义，西方新殖民主义权力话语的桎梏。虽说90年代是中国当代艺术具有决定性的十年，但今天回首俯瞰，它的局限性恰恰就在于，中国当代艺术在确认身份中开拓了自己的视线，同时也必然划定了自己的边界。

20世纪80年代末，中国精英艺术家几乎全部迁移西方，为什么产生这样的迁移？迁移对中国当代艺术产生了什么样的影响？它与30年代中国艺术家到欧洲学习艺术有什么区别？这不仅是历史变迁中艺术的迁移现象，而且折射出历史的关键时刻，迁移的被迫性与主动性。值得研究的是，90年代中国精英艺术在西方的出现不是以持不同政见艺术的身份被确定。尽管西方艺术领域尝试使用对前苏联和前东欧前卫艺术的概念和方法来认识和对待来自中国的社会主义前卫艺术家，但中国艺术家采取的立场，既非社会主义阵营的集体意识形态，也非来自亚洲的纯粹东方主义经验。于是，当时东西方如此剑拔弩张的挑战策略实际上形成了一个独特的文化景观，一方面，中国艺术家的出走携带着对艺术理想的新期盼，另一方面，传统的文化资源又成为抗拒西方中心主义的利刃。比较当时方兴未艾的日本“物派”，它以纯粹的东方精神（更具体说日本传统精神）静态地进入西方当代艺术的想象范畴，而海外中国艺术则以对抗性和侵略性的方式，借用西方艺术的观念和方法，反对西方中心主义的文化话语霸权。无论是海外艺术家黄永砯艺术观念具有的后殖民历史批判性，还是徐冰的作品所蕴涵的现实隐喻性，但事实是，借用中国历史资源反对西方中心主义显然不是艺术家个体创作的核心观念，由于这些艺术家散居于西方的艺术中心城市纽约、巴黎、柏林、伦敦（包括东京），他们的艺术不可能处于一个统一的抵抗话语之中，而艺术所处的社会背景往往也决定了他们艺术的方向以及所受到西方自60年代以来的“观念艺术”、“贫穷艺术”、“极少主义艺术”等的影响，所以与其说中国传统主义是海外中国艺术的标志，毋宁说海外中国艺术家以对传统的精神、美学、材料的使用填充了西方当代艺术的某些空缺，它仍被认为是西方当代艺术支配下多元文化中的支流。所以说，只有建立起亚洲的主体性，中国的主体性，90年代的海外中国艺术才能在自身的文化逻辑中获得更具价值的艺术史意义，反过来说，艺术理论话语权力的移位也将决定着中国当代艺术新的身份，而这种身份的重新确定，也同样是新时代托付给我们的责任。

“本土艺术”是20世纪90年代中国艺术圈子中的流行词语，它与这一时期发生的艺术现象没有任何确指性的关联，甚至也不能把它当作艺术家没有访问过西方，没有在西方展示过自己艺术的具体概念，但它不仅可以概括当代艺术在中国出现、发展、演变的基本脉络，而且可以在比较中清晰描述当代艺术在中国特有的政治意识形态中，社会经济变革中，传统与现代的对抗中发生的复杂艺术形态。在这样的文化语境中，中国当代艺术中的身份概念与西方当代艺术中所关注的身份议题没有直接关联，或者更具体地说，90年代的中国当代艺术也完全没有兴趣回应西方艺术理论的话语，它的关注点是自身对当代艺术的判断。正是因为如此，才构成世界对中国当代艺术的关注，也形成了中国当代艺术的另类姿态。事实上，90年代中国当代艺术的反叛意识在本质上是争取合法性的问题，而不是关注身份的问题。所以，身份概念在中国90年代是以特殊的方式纳入对它的艺术判断和批评的，或者说，是以我们今天所处的位置对这一时期的艺术现象及其相关的身份问题进行的分析。

90年代的中国当代艺术（当时用前卫的概念）基本处于地下、半地下的社会状态。然而，我们可以在对这一艺术现象的观察和解读中发现其中被遮蔽的许多根本性问题，它既有来自这一现象中艺术内部的冲突，又有来自西方经验中的中国艺术与中国经验中的中国艺术的不同判断，而两种不同经验的对垒，两种强弱话语的较量，决定了90年代中国前卫艺术的不同境遇，决定了艺术市场中的中国艺术与当代艺术中的中国艺术的不同生存位置。[2] 从批评角度看，我们理所当然注意到了“政治波普”和“玩世现实主义”在90年代初期崛起的合理性，但我的问题是，直到今天，我们是否真正理清了西方后殖民主义对“政治波普”和“玩世现实主义”艺术与中国当代艺术所持有的不同期待与想象的区别？为什么一种原生态艺术到了2000年之后成为了艺术市场青睐的对象？正是基于提出的这些问题，我对身份问题有了新的思考，在研究艺术案例的过程中，我发现90年代北京的“新刻度小组”是一个重要现象，只有耐心而仔细地分析该小组的形态，才能使我们对这一时期“本土艺术”有真正艺术史价值的判断。“新刻度小组”创建于80年代末期，它是“触觉小组”演变而成的中国观念艺术的典范，“新刻度小组”在拒绝了一切艺术语言表达的前提下，追寻如何能对西方文化逻辑做彻底决裂。“新刻度小组”的三个成员王鲁炎、顾德新、陈少平在彼此反复讨论后发现，艺术在西方艺术的逻辑中尽管似乎开放了所有的边界，但唯有个性却是善者独存的不可撼动的主体，所以，只有取消个性才能在西方当代艺术经验之外获得真正新的艺术语言。他们在长达八年时间里持续不断地尝试靠近这一终极愿望，用一种特殊方式完成的图表、表格、数字等方式寻找和论证他们取消个性的客观依据。然而，颇具戏剧性的是，小组的解体是因为纽约古根海姆美术馆策展人准备登门拜访的一刻，“新刻度小组”成员在激烈的争论中宣布解体，并销毁了所有档案和工作材料。“新刻度小组”的案例表明：它并没有一味强调身份问题作为本土艺术的核心，身份是一种自在自为的存在。因此，从里与外的对比看，如果说海外艺术以确立身份介入西方中心文化系统作为策略，那么本土艺术则是以消解身份对抗西方中心文化系统作为探索艺术本质的终极目标。

90年代的中国“本土艺术”在当代艺术语境中既可以被视为个体化的艺术实验，也可称之为非正式展览空间的艺术。在这一时期，艺术小组、艺术村落是凝聚各种艺术尝试的集结点。当中国的社会经济改革还未完全松动旧有的政治意识形态，当代艺术也就必然被排斥于社会的公共空间，所以，精英式的、乌托邦式的、激进式的各种艺术形态无疑更强调在封闭之中的个人纯粹性，强调这种纯粹性与社会公共空间的冲突，前者构成了中国早期观念艺术、行为艺术、装置艺术、多媒体艺术的特征，后者则是中国“政治波普”、“玩世现实主义”在绘画中的方式。如果说西方艺术领域首先关注到“政治波普”、“玩世现实主义”艺术在意识形态中的美学，而最终转入艺术的市场化，那么中国艺术批评的立场则更体现在对艺术本体探索的支持。因此，这是一种从更内在的社会语境中来确认中国当代艺术方向的。

我们正是在对中国当代艺术谱系的分析中发现了艺术史终结和身份危机的问题。这里我更进一步明确强调艺术史终结并不是指艺术史的终结，而是指我们原来沿用的一套理论话语表述的终结，也就是说，我们已难以用原来的语言系统破解和描述自2000年以来的中国当代艺术的本质特征。身份危机首先源于海外中国艺术家的境遇，可以说90年代海外中国艺术家的身份在西方后殖民主义理论和多元主义文化背景下获得了确认。迈入新千年后，当他们集体无意识地夺取了身份以及关于身份问题的讨论之声越来越微弱的时候，海外中国艺术的身份不再成为被关注的重点。伴随着海外中国艺术家返回国内，于是，身份危机被带入本土艺术的视野，但本土艺术并没有海外艺术那种语境化的经验，所以，本土艺术的困境并不是一个伸张身份的问题，而是一个追求去身份符号化的问题，但它们一致遇到了身份危机的问题。倘若要解开问题的症结，在中国当代艺术的纷纭众说中，我们不要再从那些理论方法上去考察艺术的主要问题，而是从美学策略上、从其在微观的展览形态里的中介作用上去进行考察。这一微观学的方法是要在具体展览实践和案例的感知中去拓展艺术世界，而不是充当僵化套用的“艺术理论”之说；也就是说，我们应从展览形态的问题着手，从一个一个的事件和个案中引出自己的种种看法，将自己的理论原则融入对它们的评析之中。

正是由于今天中国当代艺术陷入了艺术史终结和身份危机的境遇，我们从这些反复纠缠的复杂问题和现象中发现，思潮和流派被展览实践所消解，身份被个性所取代。这是否意味着在进入新千年的历史时期艺术史终结和身份危机之后展览形态和艺术家个体成为艺术的新起点呢?

1“它（指大地魔术师）向西方文化的中心引入了非西方国家的艺术，这不仅暗示了西方中心文化之外存在着未被发现和未被认识的共时性的现代艺术观念，而且也预言了多元主义文化时代的降临。与此同时，它无疑在艺术实践上动摇了西方中心主义的价值体系，进而导致了从西方中心的视点向多元文化视点的转移”。参阅拙文《超越‘亚洲性’与亚洲当代艺术》，载《文艺研究》2005年第7期，第8页。

2 依据我在90年代的经验，除了“政治波普”和“玩世现实主义”艺术，中国当代艺术还活跃着观念艺术、装置艺术、录像艺术和行为艺术等。当时，只有“政治波普”和“玩世现实主义”的现象成为了“显学”，而其它的艺术现象则成为了“隐学”。为什么造成如此情景呢? 在我看来，“政治波普”和“玩世现实主义”艺术与中国意识形态之间的对峙表现的最明确和最有批判性，正顺应了“冷战”后文化转向的需要，它的识别性也就必然受西方中心主义的青睐。当然，这并不意味着其它艺术不受关注，在我的交往记忆中，一些西方策展人来中国考察中国当代艺术，向我征求意见，但大多并不采纳我的建议，只选择带有表现意识形态或符号化的作品，而对观念性的作品则给以排斥。这无疑反映了西方策展人的双重标准——衡量中国艺术的社会标准要大于艺术本体的标准，而不是先用艺术标准，再考虑社会意义的方法。当然，也有一些西方策展人在策划中国当代艺术展时多从艺术观念的准则出发选择艺术家作品，如1997年在荷兰举办的“又一次长征”和1998年澳大利亚“悉尼双年展”就是很好的例证。

中国当代艺术的现实语境及启示

夏彦国

如今，讨论中国当代艺术更多地是从艺术现象和艺术家个案出发，较少讨论艺术发展跟我们国家的发展和城市化进程之间的关系，无疑，艺术作为整个国家发展主义逻辑中的一部分，肯定受到社会种种现实的影响。中国当代艺术的三十年，其实跟中国改革开放的三十年是紧密联系在一起的，而这种联系又是复杂的、交叉的、混沌的。中国当代艺术的发展跟中国政治、经济、文化、城市化的发展同样受到全球化和市场化影响。

上世纪70年代末和整个80年代，当代艺术家跟其他文艺界的知识分子一样对传入中国的西方哲学非常痴迷。89年之前，艺术家还在讨论“理想”、“信仰”、“存在”、“价值”、“自由”等本质主义的一些问题，大部分艺术家对当时的文化政治现实有着较多的关注和认识。在艺术创作上，那时候的艺术家如果说有目的性，更多地应该是思想的解放和对意识形态的对抗；我曾撰文怀疑’85新潮时期的艺术家追求理想的真实性，因为在后来的艺术市场化进程中，艺术家越来越缺少勇气和自信，更多地成了资本游戏的一分子，至少后来的事实表明他们的精神价值并不具有持续性。90年代以前，我们可以说当代艺术跟其他文化类型一样，甚至更具有先锋性、前卫性、冲击力。艺术家和批评家对新的艺术创造充满无限渴望和期待。而在90年代以后，我们看到，随着艺术家开始有机会进入到威尼斯双年展等这样的国际舞台后，开始受到西方的关注，艺术家的视角不再局限于国内，更多地把目光放到西方国际舞台上。于是，一些具有“中国特色”的作品受到西方世界的推崇和购买，这在一定程度上，推动了中国当代艺术在当时的快速发展。说得通俗一点，就是艺术家将更多的精力倾注到对有着中心“话语权”的追求上。至此，国内艺术家不再为创作精神价值，不再渴求国内的“合法性”，不再对传统进行争论和反思，而更多地期望获得国外话语权的认可；艺术这种特殊的文化载体也开始有别于国内其他文化形态发展路径，开始进入到另一种文化语境中，王朔等的文学作品虽然盛极一时，但是仅仅是对中国内部产生了影响，而艺术不一样，相对来说，它在西方世界更有吸引力，这也是由于它本身具有的权力和资本等附加价值所决定的；这无疑跟中国的现代化进程、市场经济发展、城市化发展是联系在一起的，这都是“资本、”“利益”“物质化”作用的结果。

我们可以看到建国后的前三十年的计划经济完成了国家发展的基本稳定，后三十年基本开始大力发展市场经济。艺术创作，也不能避免地受到了全球化和市场化的影响，所以我认为，当代艺术的发展其实跟整个中国的发展在内部是紧密联系在一起的。

尤其是近十年来的当代艺术发展过程中，“权力通过金钱刺激着人的创造冲动，诱发着人的道德开放，牵引着人的无所顾忌的野心。在这样的局面中，‘成功’成为艺术的标志，而成功肯定是物质层面的成功，就正如人们熟悉的‘名’‘利’这样的东西再也没有人羞于谈论这样的成功，以至于艺术家可以通过将艺术品像商品的品牌那样给予理直气壮的呵护——因为我们处在一个商业社会；以至于艺术家可以通过放弃人们维护多少年的羞耻感来获得现场的喝彩——因为我们处于新的时代；以至于艺术家可以将物质的高级谈论为精神的高级——因为我们面临着没有物质就无法具有说服力的现实。”（吕澎，《中国当代艺术的历史进程和市场化趋势》中的《我们今天不能问“什么是艺术”》一文）我们的当代艺术跟整个城市化进程一样，在一种发展主义的逻辑下，贫富差距越来越大，对物质的渴求越来越成为了艺术创作的重心。艺术创作的灵感以及作品的指向性越来越具有“现实”意义，批评文章的写作也越来越像不知所云，个案的批评文章写作和所讨论的艺术作品之间也成了平行线一样缺少必然的联系。更多时候，我们不愿意讨论市场和价格，但是现在这些物质层面的意义成了当代艺术的核心话题。所以我们说近十年的当代艺术在资本和市场的逻辑下被动发展着，艺术也开始脱离了整个文化语境，进入资本和市场的语境中。在艺术界这还表现为，异军突起的以当代艺术为主的拍卖公司和画廊业的繁荣，众多艺术区的兴起，以及美术考前班泛滥在美术院校周围。前面提到，艺术和其他文艺类型不同，它具有强大的潜在的市场价值，也就是说它具备奢侈品的功能。在这样的时代，拥有贵重的艺术品不仅成了炫富的方式，同时也是一种投资。它不像诗歌，诗歌在现在文化中的地位严重下降，我曾在时尚杂志中看到一个知名歌手说，“这年代谁还喜欢诗人，它除了创作虚无还能有什么价值”，对这样的言论真是让人骇然，但好像成了一种当下的事实，诗歌的年代已经过去。艺术品则不同，它除了创造“虚无”的价值，还带来财富和成功。

我们现在处在一个信息爆炸的时代，近几年网络在大众中的普及，各种信息好的坏的以一种前所未有的速度传播开来。网络在历史发展中所起到的作用是任何东西挡不住的。美国著名的媒体研究学者波兹曼在《娱乐至死》这部著作中，也谈到以电脑网络为例再次肯定了技术对人们生活方式的影响。在这个娱乐时代，网络对当代艺术的发展也起到了积极的推动作用。另外，平面媒体如各个时尚杂志和报纸开始开设当代艺术专栏和策划跟当代艺术有关的专题，越来越多的电视节目也开始关注当代艺术，当然，这仍然跟当代艺术的市场价值紧密联系在一起。大众媒体关注的多是谁是最贵的艺术家，比如在前不久《芭莎男士》的一次年度评选活动中，某知名艺术家获得了年度艺术人物大奖，主持人在介绍时说他是“中国最贵的艺术家”，听到这个话的时候，我马上感到曾先生俨然成了一个奢侈品，一个物。大众明星一般都说演技如何，也很少说谁的片酬最高。而中国当代艺术在大众媒体中被这样赤裸裸的宣传，实在是一种悲哀。媒体关注的是价格，跟价值无关。很多大城市以及有着文化底蕴的城市，开始兴建艺术区，艺术家也开始介入到“城市文明”的建设中，中国城市化进程中的贫富差距，更加剧了艺术作为一种奢侈品的存在，艺术家成了社会各界获得财富的一个渠道。

中国从计划经济到市场经济，基本完成了对财富的积累，这前后用了六十年，而经济繁荣之后必然进入到精神和文化的层面。政府让一部分人先富起来，完成了跟西方国家的力量抗衡。有位学者曾谈到，城市的文化传承与更新，包含两个基本方面，一方面是城市的建筑景观与风貌格局，另一个则是城市的人文情态，即包括城市人的生活态度、行为特性、人际关系。前者是“建筑——物质”层面的，后者是“精神——行为”层面的。我们以前是“见物不见人”，现在应该反观人本身，应该“以人为本”了。也就说我们的国家发展无疑即将进入新的时期，那就是对文化的重建。在今年《读书》杂志的第七期上，有部分学者也开始讨论了文化重建，紧接着越来越多的人开始关注传统文化，政府也开始发表声明鼓励对传统文化的重视。相对现在的经济、人文环境来说，我们国家还处于后物质追求时期，也该关注国人的精神现实了。当代艺术作为一种高级文化形态，正好又能跟市场挂钩，从国家现代化进程上来说，还是从其他角度来说，都有更大的发展空间。

艺术跟我们国家的发展，跟整个国家的政治、经济、文化、政策、外交都有很紧密的交叉性的联系。当代艺术家也不像想象中那样自由、野生，其实，我们和我们的国家都在同一逻辑中。

而就当代艺术自身来说，它在这样一种历史必然性中，在文化和资本的双重背景下飞速发展至今，也进入到了一个新的时期。那就是接下来应该怎么走。

从艺术创作的现实来看，我们现在的艺术创作已经不再是前卫、先锋的载体，而是融入了主流文化中，成了“时尚”、“成功”的代名词。我们也不能否认艺术家在资本和利益跟前表现出了很大程度的屈从性，这是事实。中国当代艺术的创作越来越多元化、越来越丰富，当然这跟整个艺术发展是相关联的。比如现在的艺术创作不再做宏大叙述、不再关注意识形态、也不再局限于艺术史的思维，艺术家的创作越来越开放，开放到将艺术和生活更加紧密的相连，尤其是艺术家开始关注自我生活的种种细节，开始关注个人体验。被接受和多元化也是一把双刃剑，也滋生一些负面影响。比如我最近发现一些不好的倾向，尤其是艺术市场出现波动之后现又逐渐恢复的现在，部分艺术家的创作有一定程度的盲目性，以观念艺术更为严重，装置艺术成了玩票的方式，也成了更多市场型艺术家为了表现自己可以用多种艺术媒介表达观念的技术性炫耀。还是以装置艺术为例，它似乎不用像绘画那样有着严格的绘画技法，但它有它自身的创作方式，好的装置作品不是随意的，而是综合艺术家对社会精神现实、艺术本体以及自身逻辑的，不是玩票的，而是把它当做了一个自己的作品。“当做自己的作品”这是一种严肃创作的态度。而我们现在的一些艺术家对此越来越随便。

在艺术的市场化进程中，我们看到近十年的当代艺术发展，更多还是架上绘画的发展。尤其以写实油画为例，它成了国内市场追捧的中心。这当然跟我们大众的审美水平有很大关系，国内藏家购买的依然是“技术”和“美”，是可以看得见、量化的、美的画面而不是思想。我想艺术家在追求财富的同时，也不要随波逐流。艺术终究是精神的，不是物质的，不是可以量化的。我们的艺术家虽然也像城市中的老百姓一样面临着各种经济压力，但是选择从事艺术创作就是选择了这样一种生活方式，艺术创作的前提是创作精神价值，其次才是其他的欲望。

所以，随着当代艺术逐渐进入到大众的视野中，也将有更大的发挥空间。同样，也给我们留下了些新的问题。当代艺术到底是什么，艺术的功能性表现在哪里？仅仅是资本投资和炫富的方式？还是艺术家、批评家生存的工具？在这个艺术的市场化进程中，我们都是既得利益者，那我们接下来应该怎么做？下一个十年，我们应该怎么走？这是个大问题，我无法给出像样的答案，只有只言片语，但可以肯定的是我们不会像近二十年那样屈从于对物质的追求。艺术家作为知识分子，作为社会的传感器，总要对这个社会提出问题，除非我们甘愿做物质的奴隶或者批量生产的手艺人。即使从个自私的功利化出发，从长远来说，艺术的市场化在艺术史中也仅仅是个话题而已，作为艺术家留给历史的肯定是有着更长久精神价值的作品。

『他者的视野』
——中国当代抽象艺术需要建构自身的批评话语

何桂彦

2010年4月，来自意大利的批评家阿基莱·伯尼托·奥利瓦在中国美术馆策划了《伟大的天上抽象》展，邀请了十五位中国艺术家参加。这个曾将“政治波普”和“泼皮现实主义”带到国际的重要推手对中国当代抽象艺术给予了很高的评价：

“中国画家之中存在着对艺术的道德理性的信心。这一理性能够创立对应自己时代的语言形式。差异在于，二十世纪末在晚期资本主义社会创作的艺术家使用了不同的乌托邦概念。这里占优势的是积极乌托邦观念，这一观念存在于二十世纪所有历史前卫中。这是一种关于艺术和其语言的权力的观念，一种在世界混乱之上建立秩序的想法，一种有创造性的理性的西方乐观主义，认为能够影响改造世界和社会态度的过程。

当前的中国艺术家之中涌现出健康的消极乌托邦观念，认为艺术不可能在自己的范围之外建立秩序。无论如何制作的伦理相对于创造的政治占了优势。这一伦理在各种情况下都在分辨出一个对艺术的观念和制作方式的聚焦过程。”[1]

在奥利瓦眼中，中国当代抽象艺术有两个主要的特点：一是艺术家非常重视作品的创作观念，另一个是将观念的显现与形式的表达有效的予以结合。他认为：

“中国艺术家的抽象绘画的当下性在于他们作品的强烈的声音。这些作品找到了观念过程和形式结果之间的平衡。总的来说，强调对物件的非物质化的美国极少主义和观念艺术在构思观念和制作上给予了前者以特权。相反中国画家们则总是在观念过程和观念的载体两个方向上创作。

毫无疑问，观念过程的价值作为中国画家们构思作品的特殊的发音动作，在他们的语言战略中具有决定性的分量。他们安排好一个开始的形式，然后一步步通过避免重复的许多格式变调的瞬间使起点的形式增值。

格式成为了融合形式可能性的结构因素，而此形式总是基于一种复杂性。这种复杂性面向无限，潜在地增值着几何学的惊奇。从常规上说来几何像是纯粹的显现和不动的展示的领域，一种机械理性和纯功用的地方。在这一意义上似乎给予前提以特权，这一前提作为结果变成演绎和单纯逻辑过程的无可避免的出口。”[2]

如果说西方抽象艺术秉承的是一种“历史前卫”的精神，即奥利瓦所说的“积极的乌托邦”，那么，中国当代抽象是以“健康的消极乌托邦”为宗旨的；如果说西方抽象的观念表达基于“物件的非物质化”，那么，中国抽象艺术的观念则是由“观念的过程”和“观念的载体”体现出来的。姑且不论奥利瓦的评论是否准确，仅仅从其对“观念”与“形式”的理论表述上看，他的观点并没有真正超越高名潞所说的“极多主义”。并且，参加“伟大的天上抽象”展的作品也并不能囊括，甚至全面反映出中国当代抽象艺术的整体面貌。

我们并不知道奥利瓦是否参考了高名潞“极多”的策展思路，但从参展阵容上看，实质没有摆脱高名潞展览中所预设的理论框架。当然，这并不是问题的关键。相反，我们要思考的问题是，奥利瓦是在什么样的理论前提下得出上述结论的。尽管奥利瓦的展览前言思路清晰，逻辑性很强，文字表述也非常哲学化，然而，他所得出的结论则是以西方的批评话语为依据的。这在他用“积极的乌托邦”VS.“健康的消极乌托邦”、“观念的非物质化”VS.“观念的过程化”中可见一斑。当然，作为一名来自西方的批评家，奥里瓦用西方经典的现代主义方法和跨文化的视野来解读中国的当代抽象艺术自然无可厚非。但问题仍在于，西方的批评方法能对中国的抽象艺术做出中肯的评价吗？尽管笔者对跨文化的视野本身并无异议，但对奥利瓦所秉承的文化立场则保持着一定的警惕。就像1993年策划《威尼斯双年展》时，奥利瓦对中国前卫艺术的选择多少就流露出了后殖民的倾向。虽然此次针对的仅仅是抽象艺术，但这种跨文化视野的背后仍潜伏着巨大的危险。[3]也就是说，如果奥利瓦只是将来自于中国的抽象艺术放在西方国际性的现代主义背景下考量，而无视其产生时所依存的独特语境，那么，这种阐释方法本身就存在着局限，就注定了中国的当代抽象绘画不会凸显完整的艺术与文化价值，相反，其意义也只能是与西方抽象艺术形成差异，在先入为主的二元逻辑下，成为对应于西方的“他者”。这样一来，中国当代抽象的最大成就也只能是对西方抽象艺术体系的进一步完善做出补充。

事实上，如果真正立足于全球化的语境，目前中国当代抽象艺术面临的核心问题就是遭遇到了艺术史叙事上的危机。也就是说，在“他者的视野”下，我们正面临着一个严峻的挑战，即如何才能建立一种相对有效的批评话语和艺术史谱系，并对中国抽象艺术的发展及其内在意义进行较为客观的评价与书写。时至今日，这些问题也仍然没有得到妥善的解决。原因何在？其一，只要我们讨论中国的抽象艺术，就必然面对双重的参展系：一个是中国的、一个是西方的，而且它们在时间、空间上是错位的。其二，中西抽象艺术处于两个不同的艺术系统，其艺术史的叙事话语也是截然不同的。20世纪初，罗杰·弗莱建构了以形式主义为主导方向的讨论西方现代艺术的批评话语。到了20世纪中期，形式主义批评在格林伯格的理论体系中得以结晶化，因为格氏将形式主义提升到哲学化的高度，将其与西方至康德以来的理性批判传统结合起来，最终建构了相对完善的现代主义体系。应该说，从后印象派开始，包括其后的立体主义，尤其是美国抽象表现主义均可以纳入格氏建立的现代主义体系中。其三，中国当代抽象艺术原本就有后发性的特点，这就意味着，拿西方那种线性的发展、个人风格的更迭、形式的编码的现代主义叙事是不能诠释中国抽象艺术的特点的。

从而，当中国的抽象艺术缺乏自身的批评话语和艺术史叙事的逻辑时，就必然会出现像奥利瓦那样的情况，即基于西方的理论框架而做出评论。这样一来，最大的危险莫过于，中国抽象艺术不仅仅只是一个“他者”，而且会丧失本土的文化立场。实际上，和西方抽象艺术比较起来，中国抽象艺术的价值正源于它有一个独特的现当代的文化语境和艺术史的上下文关系。简要地说，对于中国的抽象艺术而言，20世纪80年代的抽象艺术主要有两种功能：一种是追求语言上的本体独立，从而创造出一种不同于此前文革美术以及学院艺术的新范式，80年代初吴冠中关于“形式美”的倡导就属于这种追求。此后，“新潮”阶段曾涌现出大量的抽象作品，它们跟西方现代主义阶段的抽象艺术所追求的目标有一个相似之处，即希望以形式的独立来实现艺术家主体的自治。另一种是强调抽象艺术所具有的前卫特质，亦即是说，80年代特定的文化语境还赋予了抽象艺术一种新的精神价值——前卫的反叛性。[4] 因为抽象艺术对传统绘画模式的背叛，使其增添了一种精神上的附加值。换句话说，在80年代，选择抽象就等于选择了反叛，那些在作品形式上近似于抽象的艺术家一开始就扮演了“悲剧英雄”的角色。

不过，抽象艺术在西方和中国却有着截然不同的命运：从20世纪初的立体主义开始，一直到格林柏格推崇的抽象表现主义，抽象艺术最终成为了欧美主流的艺术形态，而中国的抽象艺术则一直趋于边缘。一方面，中国并没有既成的抽象艺术传统，尽管在中国古典美学的体系中曾强调画面在表现时应具有抽象的特征，但这种抽象性都必须为作品的主题服务，为画面的形式服务，换言之，这种抽象性从来就没有获得过独立的地位。另一方面，中国“新潮时期”的现代主义运动最终是力图实现文化现代性的转化，因此，中国的抽象艺术并没有形成像蒙德里安、马列维奇为代表的那种通过“形式独立”来捍卫“精神自治”的理性抽象。所以，在中国早期的现代主义阶段的抽象艺术中，包括当时以余友涵、李山、孟禄丁等为代表的抽象作品，也并未能摆脱这种边缘化的状态。即便如此，80年代的抽象艺术所具有的文化与社会学意义仍然是无法抹杀的，至少，它可以从一个侧面反映出中国当代艺术在早期现代主义阶段的发展中，在艺术本体和文化现代性方面所做出的努力。

上世纪90年代的中国抽象艺术主要发生在抽象水墨领域。笔者曾在《抽象水墨的类型》[5] 中谈到了三种抽象类型：表现型抽象水墨、媒介型抽象水墨，以及观念型抽象水墨。和80年代那种追求形式反叛的抽象作品不同，水墨领域的抽象出现了新的变化，本土文化的因素：如张羽的“意象性表现”、阎秉会的“书写性表现”等；媒介性的因素：如胡又笨对宣纸的使用，杨诘苍对墨色的表现等；观念性因素：如王南溟的“字球系列”、王川的“零度·墨点”等。可以说，由于面对全球化语境，90年代的中国抽象艺术少了80年代那种单纯依靠图式来言说的绘画方式，相反将本土文化的因素融入其中，希望以传统的方式出发来为抽象艺术的存在寻求合理性。但是，这一时期的抽象仍然无法完全摆脱西方抽象绘画的阴影，很多作品仍停留在现代主义的形式阶段。除水墨领域外，同一时期油画领域中，于振立、王易罡、尚扬、朱小禾等艺术家的作品也具有较强的代表性。

2000年以来，中国抽象艺术真正进入了多元化的发展时期，各个领域均出现了代表性的艺术家。整体而言，这一时期的抽象艺术有几个显著的特点值得关注：1. 大多数抽象艺术家都强调创作的方法论。所谓的方法论，是要求艺术家在进行创作实践时，所采用的表现方式不仅要有一种独立的、系统的批评理论作为支撑，而且在形式、风格的表现上能体现出一种原创性的价值。不过，在讨论一位艺术家的创作是否具有方法论意识的时候，还需有两个基本的前提。首先，其作品是否具有自身的艺术史上下文关系。因为任何一件作品如果脱离了艺术史的参照系，没有个体创作历程的内在逻辑作为支撑，那么，其存在的艺术史意义就会丧失。回到方法论的问题上说，此时的方法论主要指艺术家是否用一种新的观念和方法来指导自己的创作。而判断这种方法是否有效的标准是：艺术家的作品能否在既定的艺术史上下文中，在抽象艺术的谱系中带来新的发展可能，或开辟一条新的发展路径。其次是作品应具有鲜明的个人性。显然，强调方法论实质也是在强调一种个人性，但这里的“个人性”并不同于现代主义阶段那种精英意识，而是说艺术家要有独立的思考和个性化的语言表达。2. 出现了大量的观念性抽象作品。这和早期抽象艺术通过形式、风格来赋予作品意义的方式有较大差异，观念性抽象不仅强调创作中的方法，而且将创造中的过程、时间赋予意义，这类作品大多具有较强的思辨性，其意义的显现也往往需要求助于哲学化的阐释。譬如，张羽通过手指所形成的“指印”，李华生、路青那种反复书写的“格子性”抽象，孟禄丁的《元速》系列，以及王光乐的“寿漆”等等。3. 涌现出了一批年轻的抽象艺术家，如雷虹、杨黎明、刘文涛、张帆、周洋明、徐鸿明等，他们的创作为当代抽象艺术向多元化的方向发展起了积极的推动作用。

有必要提及的是，笔者的本意并不是说奥利瓦对中国当代抽象艺术的评价是不准确的，是充满“误读”的，而是力图说明，如果评论者一旦不考虑孕育中国当代抽象艺术的文化土壤和上下文关系，那么，其自身的价值就会被西方抽象艺术所取得的辉煌成就所掩盖，所遮蔽。因此，对于未来中国当代抽象艺术的发展来说，一方面需要艺术家尽快地融入全球化的语境中，让作品与西方抽象艺术进行平等的交流与对话；另一方面，我们还需及时地建立自身的批评话语与理论体系。

实际上，2000年以来，如果没有批评界的研究和有关抽象艺术展览的增多，当代的抽象艺术是不会迅速的活跃起来的。像易英、高名潞、朱青生、殷双喜、王林、王南溟、黄专等批评家都发表过专题性的批评文章，同时，以高名潞、栗宪庭、刘骁纯、李旭、王小箭等为代表的批评家通过策划一系列的展览为当下抽象艺术的发展赋予了新的学理维度。譬如，2003年，批评家高名潞策划了“极多主义”展。在他看来，“极多主义”不是一种抽象风格，而是85时期“理性绘画”在观念和精神上的又一次拓展。尽管表面看某些“极多主义”的作品与西方抽象艺术有相似的特征，但是“极多”的意义并不体现在形式本身，相反以创作的过程性、时间性来彰显其独特的意义。无独有偶，同年，栗宪庭也策划了名为“念珠与笔触”的展览。其实，两位批评家都试图对90年代以来抽象艺术的新发展做出理论上的梳理。虽然他们都未使用“抽象艺术”这个术语去界定那些新的抽象方式，而是用“极多”、“念珠”、“笔触”这些词语来强调作品的观念性叙事，但他们所得出的结论在很多地方却是一致的。他们都认为作品应反对现实的再现；都强调“极多”、“念珠”或“积简而繁”的创造过程，并用过程的“时间性”来取代作品的意义；都试图用中国的哲学，如道家的“虚无”、禅宗的“顿悟”、佛家的“参禅”来对这种创作行为提供理论的支撑。当然，笔者并不完全认同高名潞先生所认为的，“‘极多主义’必将引向现代禅——中国的达达和解构主义”[6]；同样，我也认为栗宪庭先生将“积简而繁”的过程归于女性手工方式的观点有待商榷。但是，毋庸置疑的是，这两个展览对2003年后中国抽象艺术的发展曾产生了积极的影响，尤其是对艺术家如何建构个体的创作方法论产生了启示性的作用。正是在这两位批评家的启发下，笔者于2008年在“偏锋”画廊策划了“走向后抽象”的展览，尝试将“后抽象”[7]绘画的叙事理解为超越单纯的形式建构，同时结合当代观念艺术的成果，将日常的行为纳入抽象观念的表达中，从而去言说抽象艺术在发展过程中所具有的一些新的可能性。[8]

当然，中国当代抽象艺术未来的发展前景到底如何，首先还得取决于艺术家能否创作出优秀的作品。但是，如果从国际化的视野出发，关键的症结之处还在于，我们是否能够建立一套有别于西方抽象艺术和西方现代主义理论的艺术史话语，将中国的抽象艺术与它身处特定的文化和社会语境联系起来，将它放在传统与现实的历史维度下重新的考量，从而在艺术史的梳理与书写中呈现出独特的意义与价值。

2010年12月14日于望京花家地

1 奥利瓦：《伟大的天上抽象》展览前言文章，未发表。

2 同上

3 这一点在奥利瓦文章的标题《伟大的天上抽象》中已充分地显现了出来。因为他并没有对“天上”这个概念做出解释，也没有说明“天上”与“中国的抽象艺术”是否存在着某种必然的联系。

4 批评家易英先生对20世纪80年代抽象艺术具有的前卫特征曾做了深入的阐释，参见易英：《当代中国抽象艺术的发展》一文，收录高名潞主编《美学叙事与抽象艺术》，四川出版集团 四川美术出版社，2007年版，第61页。

5 参见何桂彦《抽象水墨的类型》一文，《人文艺术》第6辑，贵州人民出版社，2006年12月版。

6 参见《中国极多主义》一文，《另类方法・另类现代》高名潞著，上海书画出版社，2006年1月第一版。

7 批评家王南溟也曾谈到“后抽象”，这一概念的提出主要是针对抽象艺术在后现代阶段如何走下去的问题。参见王南溟《“后抽象”个案——天津美院2004级学生的作品分析》一文，《美学叙事与抽象艺术》，高名潞主编，四川出版集团、四川美术出版社，2007年6月版。

8 参见何桂彦著《走向后抽象》，河北美术出版社，2008年8月版。

艺术家作品

[按姓氏拼音排列]

陈家刚

Chen Jiagang

2010 年，陈家刚选择了中国经济奇迹的引擎产业房地产来发力，推出摄影新作《样板房》系列。他一口气跑了大江南北数十个高端楼盘，借景于各式样板房，再借助一拨专业演员为摆拍模特，虚构出一个个情景剧场景，从而拍得这批颇具视觉连续性的系列照片。（顾振清）

样板房之二 Sample Room No.2 180cm×300cm C-PRINT 2010

样板房之六 Sample Room No.6 180cm×300cm C-PRINT 2010

样板房之八 Sample Room No.8 180cm×300cm C-PRINT 2010

陈秋林

Chen Qiulin

城市化是发展中的中国正在面临的问题。每个人都有自己关于城市的梦想，许多人对于一个城市的梦想是从生活的改变开始。城市，许多人带着梦想进来，却永远被现实隔在墙的另一面……

我能记录的只是中国在这巨大变革过程里的一些小小的片段，一些小小的空间，和那些我能感觉到的滋味：他们的梦想，在空气里像花儿一样盛开……

花园 The Garden 录像 14分45秒 2007

FUJI
16.

花园 The Garden 录像 14分45秒 2007

陈文令

Chen Wenling

陈文令是中国当代艺术家的代表之一。陈文令的艺术与其说是生动而形象地再现了人和动物之间的复杂搏弈关系，倒不如说是分析和揭示了视觉表征背后令人沉思的道德危机、信誉危机和信仰危机。这才是陈文令艺术观念的真正本质。他用清晰而生动的视觉语言向为观众提供了一种新的观看方式和一种独特的理解方式。（黄笃）

悬案 The suspense 490cm × 830cm × 230cm 综合材料 2010

苏醒 Wake Up 178cm×83cm×55cm 铜、红色汽车漆 2010

你看到未必是真实的 What You See is not Necessarily True 1100cm × 600cm × 500cm 铜、汽车漆 2009

崔岫闻

Cui Xiuwen

《真空妙有》系列是崔岫闻精神结构初步定型后精神状态的呈现，心理的方向开始自觉进入精神领域和空间，对问题的探讨和思考根植于精神层面，和以往作品所思考问题的空间层面和境界有所不同。虽然画面依然延续了学生摸样的形式，但只是形式的延续而已，本质上探究的问题已经转换和跳离了物质层面。画面在三维空间中呈现展示了人与自然、人与人之间关系的多维精神张力。

真空妙有18号 EXISTENTIAL EMPTINESS NO.18 300cm × 144cm L C-Print 2009

真空妙有6号 EXISTENTIAL EMPTINESS NO.6 450cm×114cm L C-Print 2009

方力钧

Fang Lijun

方力钧被认为是“玩世现实主义”的代表人物之一。在他的那些色彩绚烂、梦幻般的绘画中，年轻的光头、或活泼可爱的小孩、或生动新鲜的动物和花，都被他重新赋予了一种新的审美意义。思考生命存在的价值和意义，在游魂、困惑、沉静中营造出一种新的绘画语言和风格。方力钧开启了一种新的中国绘画思维方式。

天罗地网（文轩美术馆收藏） The Inescapable Snare 120cm × 270cm 布面油画 2008-2010

2008春 Spring of 2008 400cm×880cm 布面油画 2008

俸正杰

Feng Zhengjie

俸正杰的作品中，即脸部大特写女性单独肖像作品尤为突出。这些作品的核心在于使观赏者感到无所适从。非个性化的眼睛、超刺激的红嘴唇、绿红蓝的头绿及画中蕴含着有点现代过头的时尚感——从这些东西中很容易看出作者对现代的消费社会化、大众社会化的状况的评判观点。

中国肖像 Chinese Portrait K Series 2009 No.15 210cm×210cm 布面油画 2009

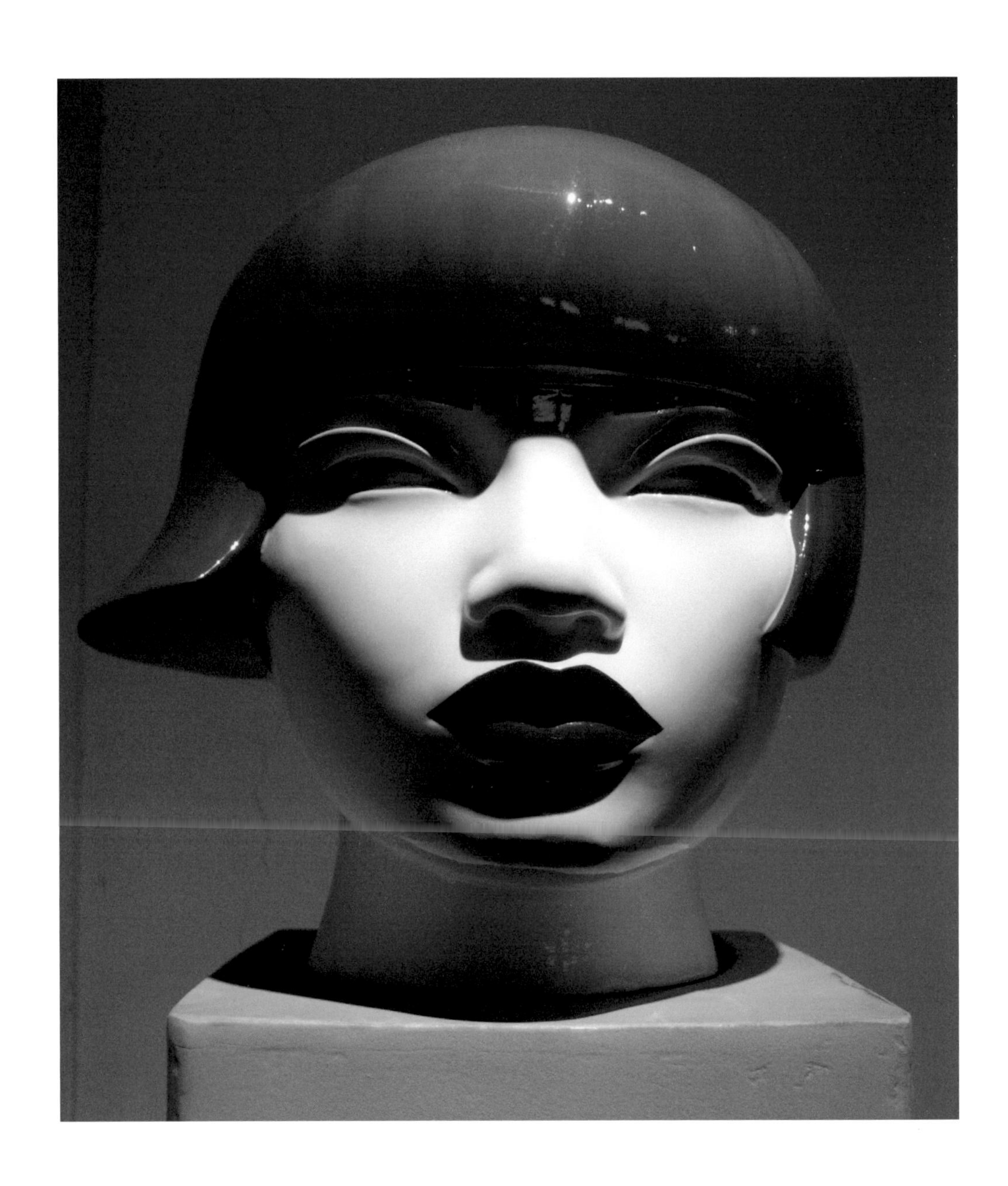

肖像 Portrait 2009 No.05 (s) 26cm×30cm×26cm 铸铜烤漆 2009

肖像 Portrait 2009 No.03 (s) 26cm×30cm×26cm 铸铜烤漆 2009

俸正泉

Feng Zhengquan

我最近的这批作品总的说来是围绕我的艺术工作本体为中心来展开的，也就是说，工作的过程就是我工作的目的。颜料、颜料管、画笔、书籍、甚至一个笔触等等，这些都是我的工具，但是我在作品里转换了它们的角色，让其成为我工作的对象，我试图传递出这种悖论和纠缠的关系。

我的CD The CD of Mine 80cm × 230cm 布面油画 2009

Shaggy
DJ SHAH
OUT OF SEASON
GO BEAT
TOUR DE FRANCE SOUNDTRACKS
THE MUSIC
Absolute Sound TAS 2003
sashaairdrawndagger
Kraftwerk
FOREVERFAITHLESS
THEGREATESTHITS

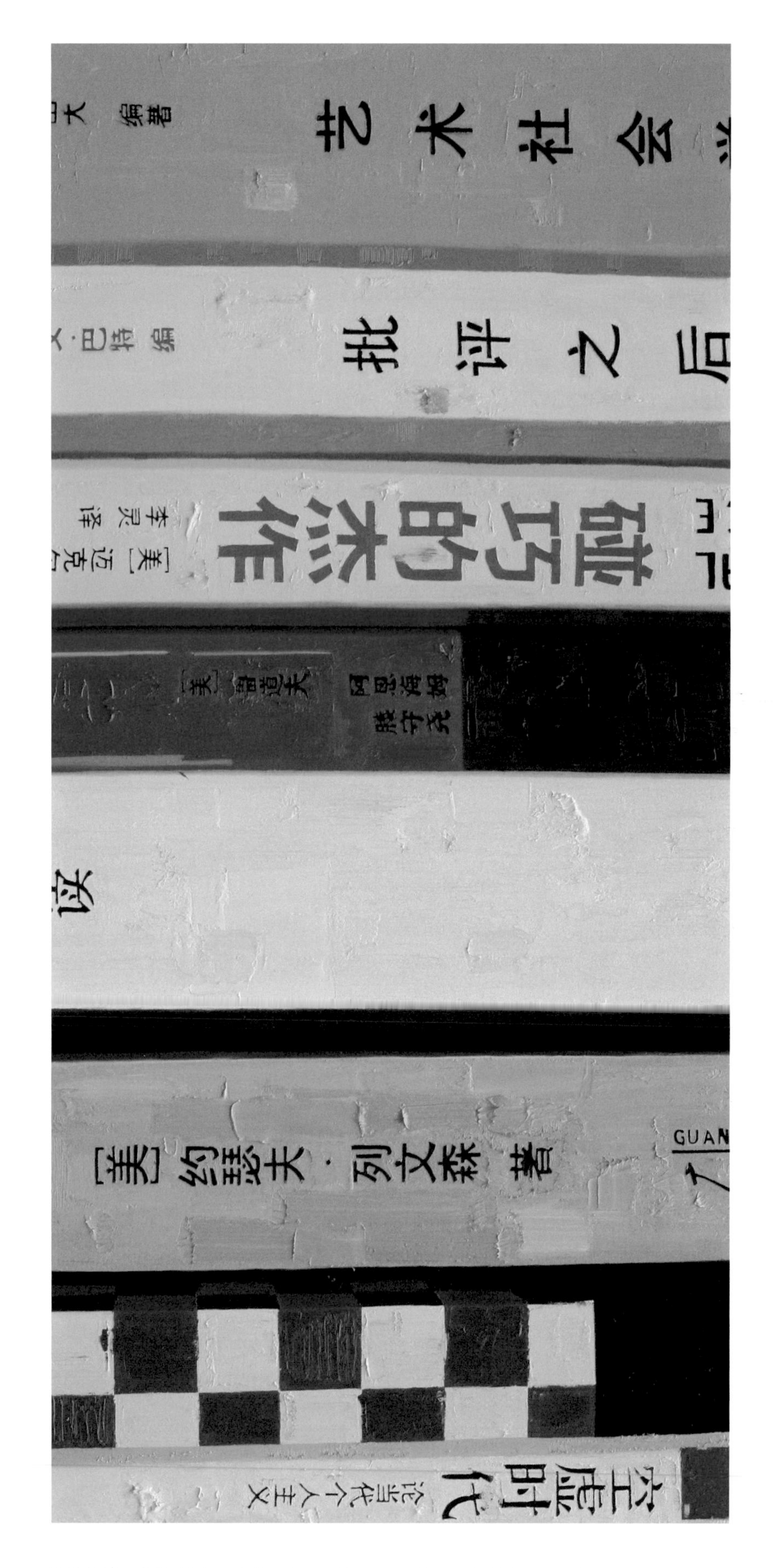

我的阅读—书脊 Spine of Reading 80cm×230cm 布面油画 2010

我的阅读—另一面 Sides behind Reading 200cm × 100cm 布面油画 2010

符曦

Fu Xi

古人的花鸟世界都风和日丽，赏心悦目，那是一个精神平衡的世界，起码表面上是这样。我们的世界则不仅有花鸟、水泥、机器，有子弹和钢铁，还有让我们自己都害怕的速度。

花鸟，谁主沉浮 Bird · Who Controls 220cm×150cm 油画 2010

致敬八大 Salute to Badashanren 170cm×140cm 油画 2010

郭 晋

Guo Jin

也许因生活在重庆那种薄雾缭绕的湿润地方的缘故，郭晋最近的绘画迷恋对环境、自然、人的表现和分析。其绘画的特点在于截取不同树枝躯干部分，如同静格的摄影或电影镜头，画面被处理成一种无语境化的情景，留下的只是个人营造的由时间、空间、儿童、鸟组成的新的意象，只是纯粹的视觉形象，宛如走入诗一般的画境。这正是郭晋追求的新的绘画美学。（黄笃）

黎明 Dawn 145cm×145cm 布上油画 2006

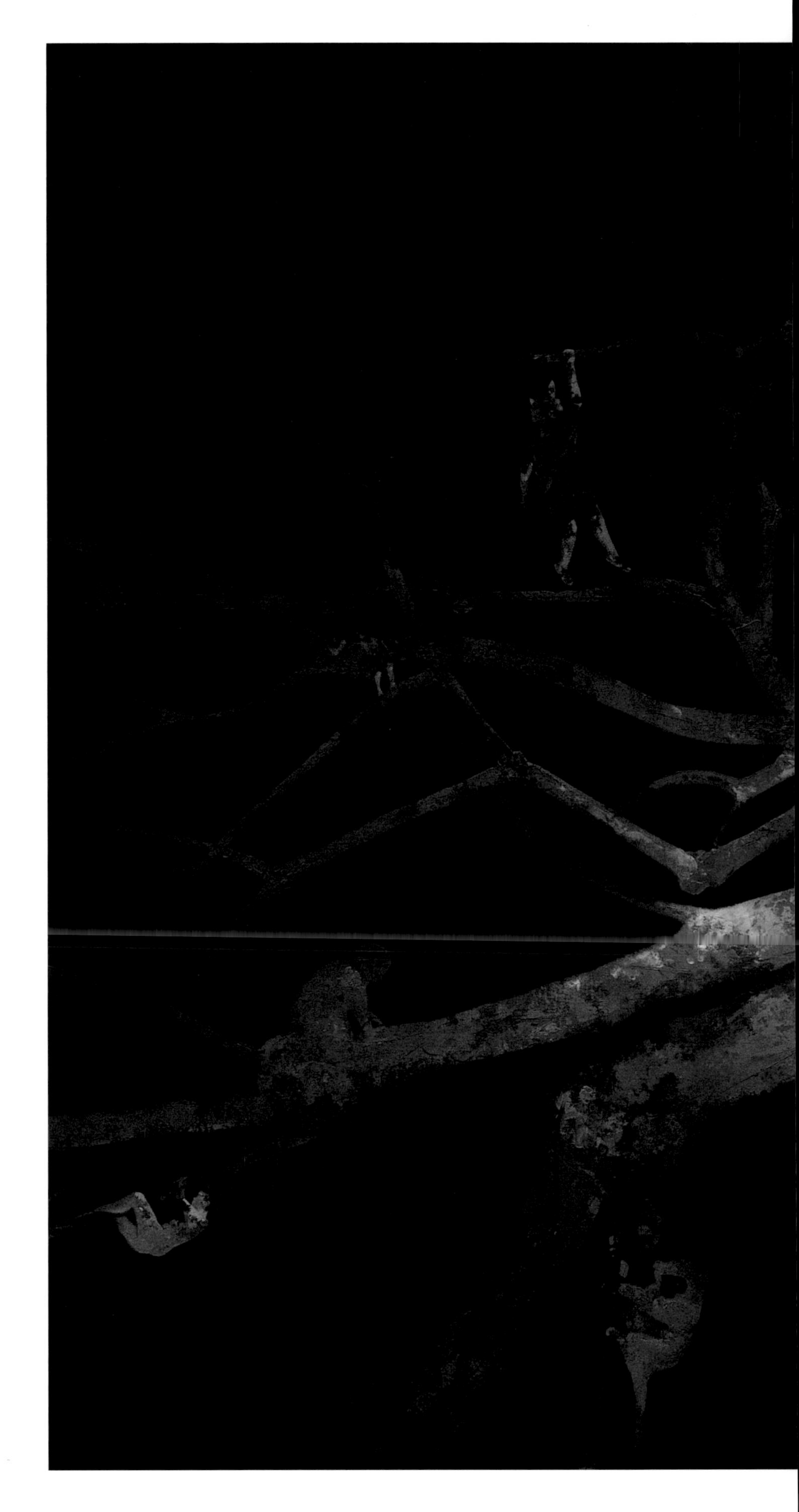

入夜之二 Second Chapter of Gloaming

200cm×300cm 布上油画 2007

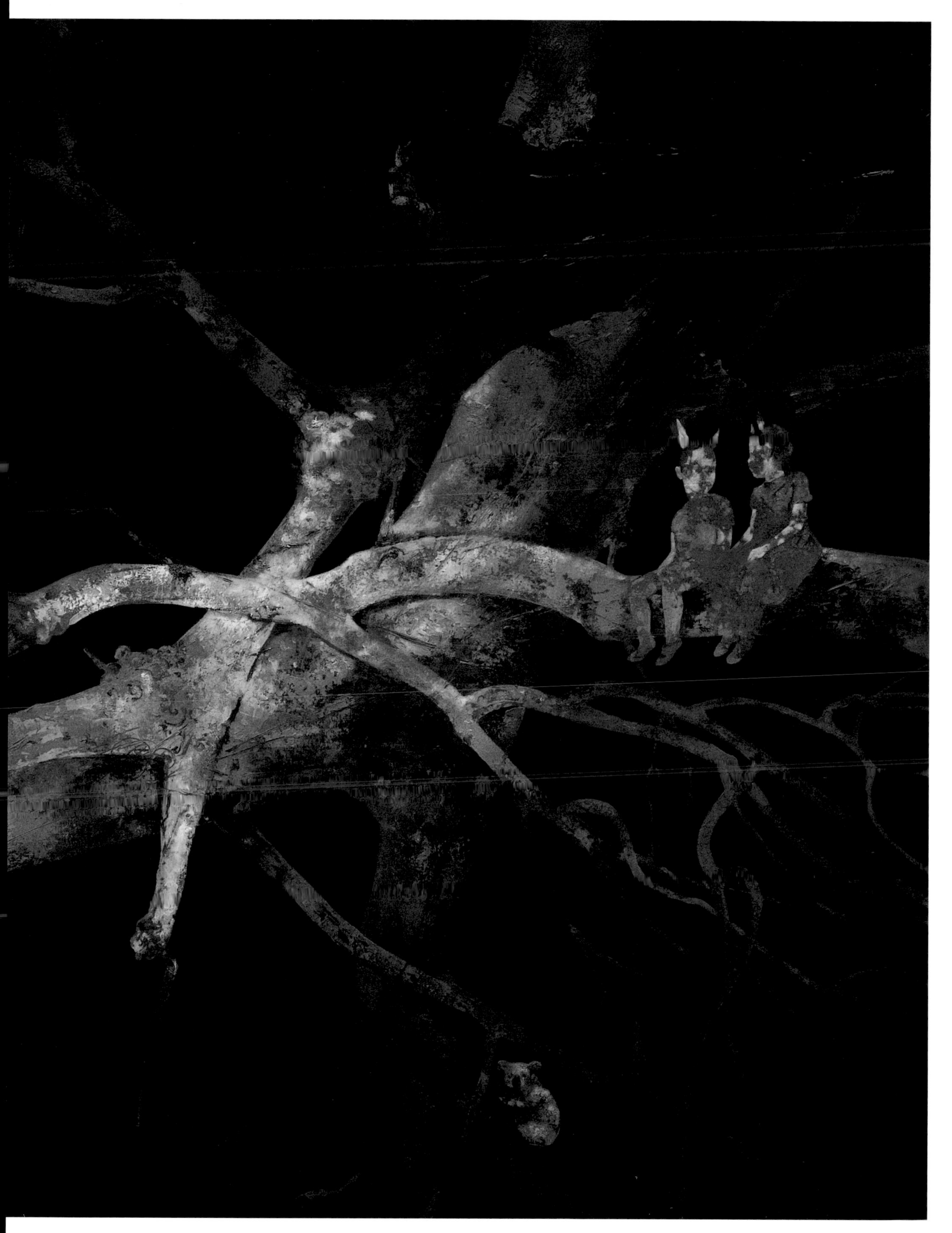

郭伟

Guo Wei

在新展《制造》中，郭伟放弃了绘画中常规的静态形式，而采用了更具临时性的、不固定的表达“素材”，从而模糊了绘画式与雕塑式的界限。他的作品旨在把“对世界的现代的、复杂的理解”的各种矛盾面结合到一起，有策略性的布展也是它的一大关键要素。作品被设置在一种非常规式的布局之中，其中有工作室似的环境，有天然的树木，还有弃置的碎片和废品，营造出一个与艺术家绘画的人物和主题进行“亲密接触”的氛围。（吴承祖 ）

在制造1 On The Way：1 尺寸可变 丙烯、木板 2009-2010

FOR
HUGS

在制造2 On The Way：2 尺寸可变 丙烯、木板 2009-2010

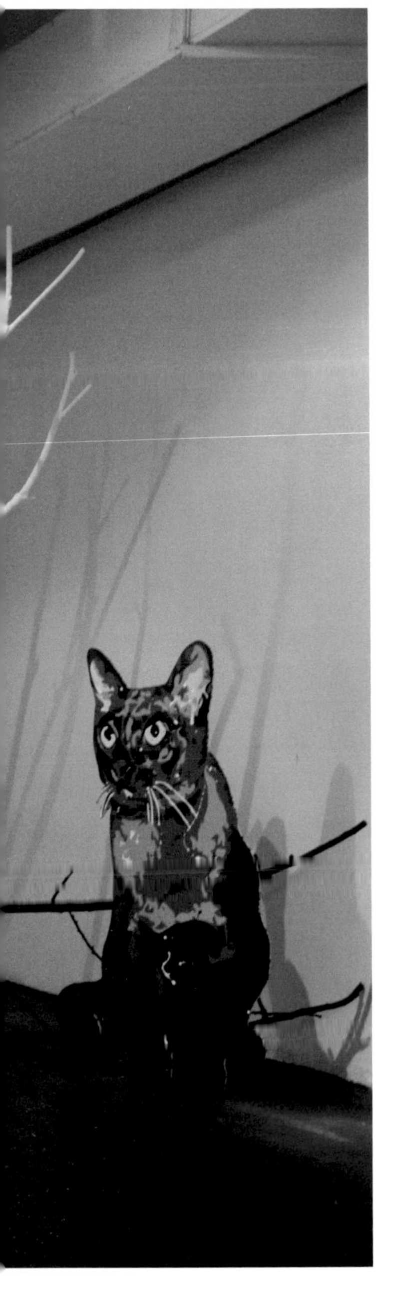

在制造3 On The Way：3 尺寸可变 丙烯、木板 2009-2010

郭燕

Guo Yan

《菩提》系列可能是郭燕最有灵性和智慧的作品。在这组作品中，漂浮的、游离的、居无定所、无家可归的身体和灵魂好像获得了永恒的安憩，那些沉重的肉身都像精灵一样飞舞在灵光普照、神秘温馨的菩提树周围。这是郭燕为自己的心灵祖国之旅找到的一个居所，也是她对追随她一路走来的、所有喜欢她绘画的朋友们的一个温馨美丽的馈赠。（管郁达）

菩提系列30号 Bodhi No.30 200cm×300cm 布面油画 2009

菩提系列21号 Bodhi No.21 160cm × 200cm 布面油画 2009

何多苓

He Duoling

在当代中国画坛，何多苓是一位令人注目的人物。自1982年推出油画《春风已经苏醒》以来，他不断有新作问世，画风悄悄地变化，形式、语言在逐渐完善，但他作为画家的面貌却是鲜明的，予人的形象是整体的。他被认为是具有杰出才能的现实主义画家。他的作品带有“哀伤而抒情”的美学特征。何多苓也就被认为是哀伤、抒情的现实主义油画的代表人物。

兔子森林 Rabbit forest 200cm×150cm 布面油画 2010

山水 Landscape 200cm×150cm 布面油画 2010

何 工

He Gong

何工的表现性艺术，其动力来自他的灵魂和精神的深处，与现代主义时期所推崇的纯粹的自我表现不同的是，在何工的艺术中，有着深厚的社会和历史的内容。在此意义上说，何工的艺术具有新表现主义的特质。不过，在何工的艺术中，最为重要的仍然是那来自他的精神深处的激情，以及由里而外创造的视觉艺术语言，无论是题材还是内容，一旦进入何工的艺术熔炉，就都会被铸造成具有钢铁般意志和力量的艺术形象，给人以精神的震撼。（邹跃进）

迷路的人之二 The Lost One No.2 200cm×180cm 布面油彩 2010

迷路的人之四 The Lost One No.4 200cm×180cm 布面油彩 2010

何森

He Sen

众多自然和人物的画作和影像中，在神话与传奇中的中国这一时间和背景之下，我们可以让自己沉迷于西天取经的冒险旅程。但是，我们不可能忘却自己的根。我需要通过“回望”来表达自己，转而让自己获得新生。

徐渭 山水人物画册二 Xu Wei No. 2 of landscape and figure series 400cm×250cm 布面油画 2007

徐渭 山水人物画册三 Xu Wei No. 3 of landscape and figure series 400cm × 250cm 布面油画 2008

八大山人 花图册 Badashanren：Flower Illustrated Books 150cm×200cm 布面油画 2010

桃树上的猴王 monkey king on the peach tree 200cm×200cm 布面油画 2010

何汶玦

He Wenjue

滚滚红尘，红男绿女，霓虹闪烁，我喜欢这些流动的世界。在我这里，他们都是美好着的画面。

或许凄美，或许青春；或许现实，或许梦幻。人总是在不断的寻找自己的角色，真实的自己到底是在哪里？浩瀚的宇宙面前我们是不是应该反思自己的“渺小”……我也总是在经历了人生百态之后和自己说着内心的所向。

我只是想去做自己想做的，不管是到了哪里，我想都应是顺其自然，圆融及可。

看电影・青春 Film of Youth 200cm×300cm 布面油画 2008

十字街头 Crisscross Streets 200cm×300cm 布面油画 2008

乌鸦与麻雀 Crow and Sparrow 130cm × 200cm 布面油画 2008

黄木

Huang Mu

我们都生活在规则之中，规则中的机遇总是必然的，不可遇到的，人的创造发明多如牛毛，然而谁也无法创造发明出机遇，无论是感性经验，还是理性逻辑，都无法证明机遇的偶然特性。扑克游戏规则中的输与赢便是立证。

暴力的野性 Violent Wild Nature 136cm x 210cm 布面丙烯 2010

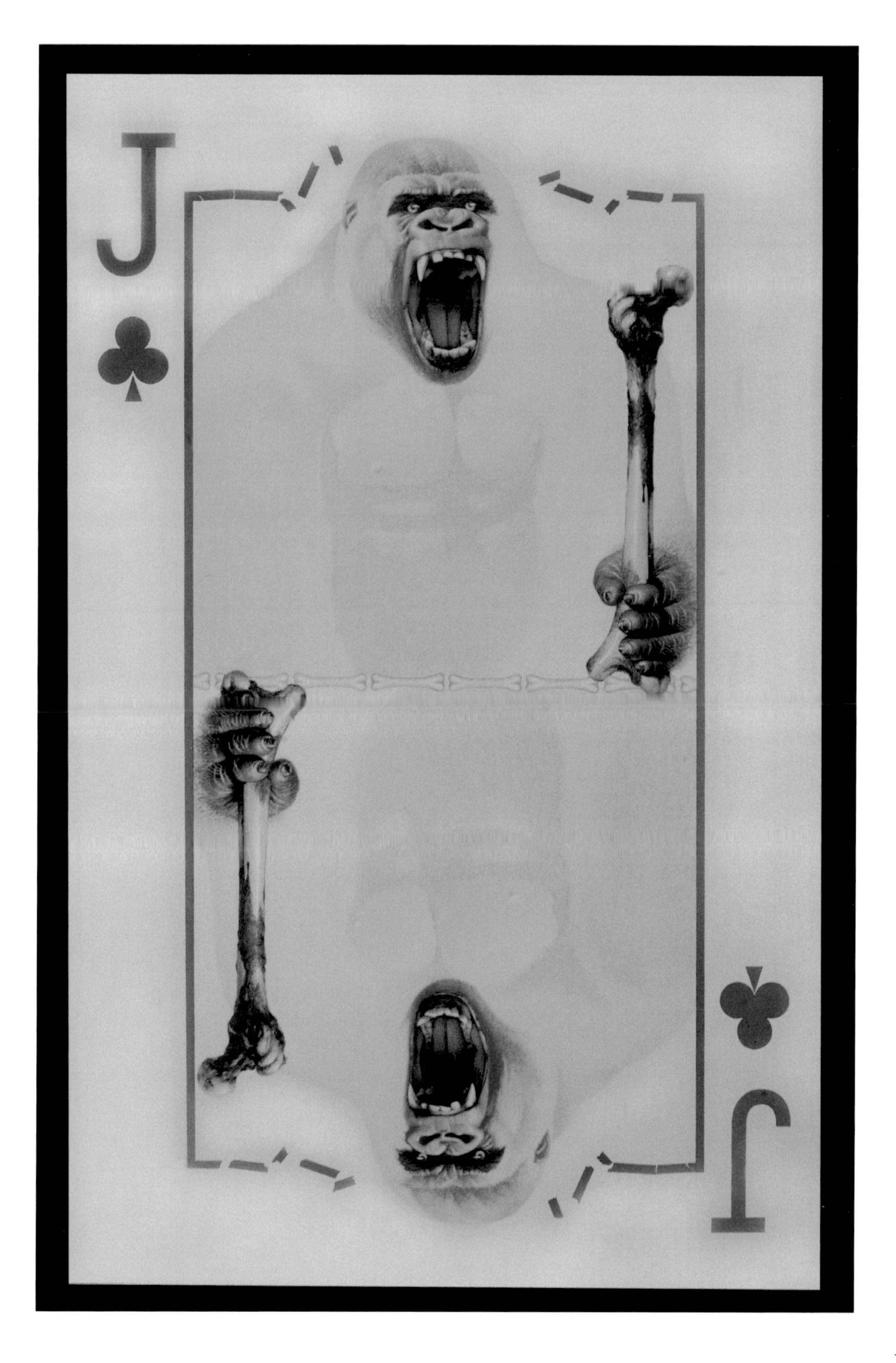
J
J

中国理想 — 升官发财 Ideal with Chinese Characteristics：Promoting to A Higher Position 136cm×210cm×2 布面丙烯 2010

K
安财即胜利
K

黄莺

Huang Ying

这个世界给我感觉来说是复杂、混乱的，经常让你感觉到危险、不安和忧虑，事实上你常常会感觉到一种冷。我们可能无力改变周遭的世界，但应该对人生之苦怀有深深的同情，努力自我救赎，反省和自我拯救常常都是在自己的宇宙中完成的。

嬗 No.12 Metamorphosis No.12 120cm×120cm C-print 2009

世界尽头与冷酷仙境 No.1 Hard-boiled wonderland and the end of the world No.1 486cm × 146cm C-print 2010

焦兴涛

Jiao Xingtao

每个人的姿态是有意义的，因为是自我有意无意选择的结果。当我们每个人在被要求拍摄时，总会摆出“自己”的姿态——可能是对自己的某个角度比较自信，或者是模仿某个明星的扮相，或做英雄状、或做可爱状、或做潇洒状、或做性感状。就如同戏曲中的“亮相”——每一个个体的姿态都折射出群体的想象和集体的欲望。

在 Living 57cm×68cm×500cm 铸铁、漆 2010

藏 Hide 212cm×174cm×128cm 玻璃钢 2008

景 Scenery 73cm × 66cm × 4cm 铸铁、漆 数量不定 2010

李 强

Li Qiang

在中国当代艺术的大格局中，李强显然是极为边缘与另类的，因为他几乎是在叛逆自博伊斯与沃霍尔以来兴起的艺术潮流而动，竟主张把对社会的批判与启蒙的责任交还给社会学家、哲学家与文学家去做，艺术家则应该回归到本体的角色上，以审美的态度去发现生活之美，进而激发人们对生活的热爱，抵抗生活的无奈。这无疑是在叫板美国著名理论家丹托关于“美的艺术”行将消亡的预言。……他近期的作品比以前的作品更强调对线条与特殊肌理效果的运用，“如画”的、虚拟的成分更重，也更具有东方的特点与韵味。综上所述，我认为艺术家李强根据个人的独特感受创造了一个绝对有别于现实的艺术世界。而且那是一个具有独特个性、当代视觉特点、诗意盎然与气质高雅的真实世界。（鲁虹）

返境No.2 Return to Land No.2 240cm×130cm 布面油画 2010

返境No.2（局部） Return to Land No.2 (Details) 240cm × 130cm 布面油画 2010

李占洋

Li Zhanyang

从早期创作中的街头符号，到如今的个人化创作，李占洋延续了他一贯的叙事才能。将故事转化成雕塑的场景，极富戏剧化，却又不失深度地将或虚拟或现实的场景再现。

怪圈 Strange Circle 140cm × 80cm × 65cm 铸铜 2000

死耗子 Rat 106cm×45cm×63cm 铸铜 2004

水浪 Wave 101cm×70cm×28cm 玻璃钢 2010

刘虹

Liu Hong

自画像、自拍像这样的一种方式，是女性自我认同的一种期待。同时她们将这样的带有个人色彩的艺术形式，转换成了具有文化批评和社会评判功能的重要手段。

丽色 — 唇语 No.1 Beauty — Lips-Language No.1 180cm×150cm 布面油画 2010

丽色 — 唇语 No.2 Beauty — Lips-Language No.2 180cm×150cm 布面油画 2010

罗发晖

Luo Fahui

我的呈现方式同我的生存状态有关。将“当时”作为画画的动因,作品的指向，是关于欲望、伤害、溃烂、性，构成一个欲望系统。从《欲望图景》挖掘并强化《玫瑰图景》、《肉身图景》、《溃・艳肉体》、《受伤的风景》、《暴力而宁静的城市》，《身体是仙境》在完善这些艺术图景的语言符号的同时，却又质疑并消减艺术的图式化和符号化。如此以来，使得有更多的观念自然吞吐，以致有更深度层次的作为。执着地追求自然与人类共同具有的一种永恒的欲望动力，却又表现出欲望的伤害，同时表现出被伤害的欲望。肉体被伤害，肉体伤害肉体；个人的心灵被伤害，心灵与心灵之间也构成伤害；画面被伤害，画面也伤害着观者；艺术家的绘画过程是一种对完整图像的破坏和无以复加的过程，反之，被破坏掉的图像可能也在制作艺术家。

色境 No.2 Color State No.2

300cm×200cm 布面油画 2010

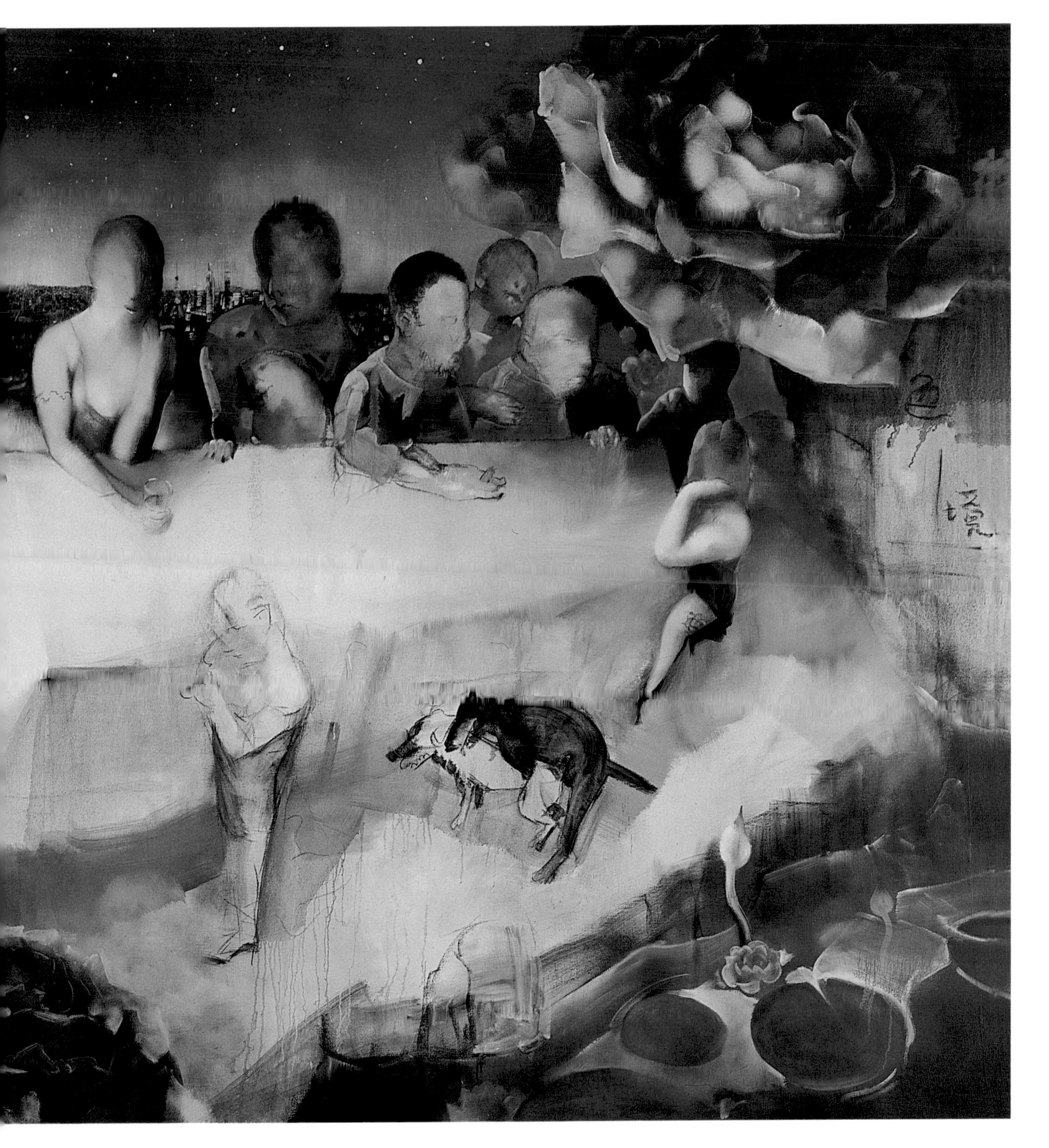

我的花园 My garden 140cm × 180cm 布面油画 2010

乐园 Paradise 180cm × 140cm 布面油画 2010

罗敏

Luo Min

罗敏作为一个女性艺术家，能画出如此精美的具有传统审美和现代艺术精神的作品，的确令人有些惊叹！在当今艺术如此纷繁，光怪陆离中坚持自我审美理想，不为时尚所左右，实属难得！

白日梦 No.1 Moment of Fantasy：NO.1

160cm×90cm 布面油画 2010

盆·景 No.6 Miniascape：NO.6
80cm×80cm 布面油画 2010

2009年秋 Autumn of 2009 140cm×90cm 布面油画 2009

盆・景 Miniascape：NO.6　40cm×30cm×9　布面油画　2010

罗中立

Luo Zhongli

罗中立是中国当代写实绘画的代表人物。从《故乡》组画开始，罗中立逐渐从社会写实风格转向文化表现风格。经过长期的探索，在1990年以来的创作中确立了独创性的绘画语言和艺术追求。作品以其强烈的山野气息、原生的文化生态和表现性的中国经验，展示了不断更新的创作活动。除此之外，在长期的写生速记中，还创作了大量风景小品。心态自由、线条灵动，已成为创作不可或缺的一部分。

赶集（过河系列） Go to market (across the river series) 160cm × 130cm 布面油画 2005

息 Rest 200cm × 160cm 布面油画 2004

下梯的农妇 The peasant woman down the stairs 250cm×200cm 布面油画 2005

庞茂琨

Pang Maokun

我的这批新画严格说来还是属于现实主义的范畴，是我对于所遭遇的日常生活的另类理解而已。在我看来无论现实中发生了怎样的情节与故事，他们都属于画面、属于画面中各类修辞所营造的总体氛围，而这种氛围是偶然而得的，它言说着另一种意指。在这样的一种过程中，现实被改变了，被处理了，它关联于现实、又疏离于现实。也许，艺术家就该如此，应与纷乱无序的现实保持一定的距离，并用艺术的方式去修正它，解构它，并玩赏它！另一方面，这也是一次关于当代人的生存价值和意义的探讨，在这个自我膨胀与过度消费的时代，人的异化是显而易见的。

邂逅之二 Encounters No.2 260cm×180cm 布面油画 2010

巧合之三 Coincidence No.3 200cm × 160cm 布面油画 2009

逗留之一 Lingering No.1 260cm × 180cm 布面油画 2009

秦明

Qin Ming

秦明的作品之所以有意义，就在于他反映了非学院的倾向。（易英）

秦明绘画的表现性在于将其自由流动的笔触破坏了学院绘画的语言秩序。（黄笃）

人体2010 — No.4 Human Body：2010-No.4 110cm×140cm 布面丙烯 2010

人体2010 — No.2 Human Body：2010-No.2 110cm×140cm 布面丙烯 2010

人体2010 — No.3 Human Body：2010-No.3 110cm × 140cm 布面丙烯 2010

苏 钶

Su Ke

1.一条狗带着摄像机随意拍摄的视频画面。
2.COPY那条狗的视角拍摄出来的视频画面。

"OR"——一个英文中常见的单词。
它足以诠释这两段录像！当然"OR"的意思有很多.1.或,或者 2.也不 3.否则 4.大约 5.或者说 6.用于说明原因 7.用于引出对比的概念……

OR 双频录像 4分20秒 2010

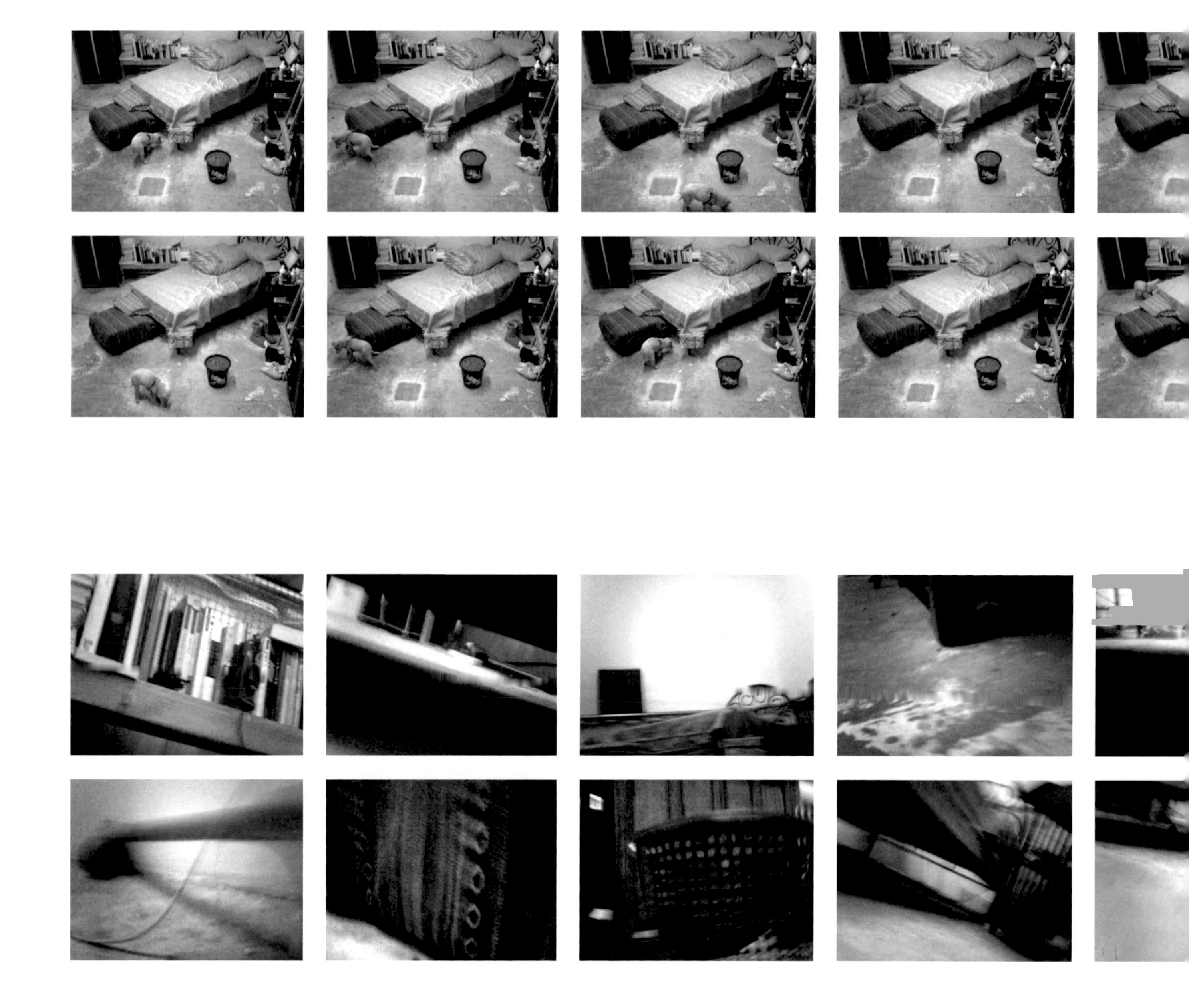

OR 双频录像 4分20秒 2010

苏新平

Su Xinping

中国是一个很特别的社会，有自己独特的历史和文化，如果艺术家能亲身参与到社会急剧变化和各种复杂的关系中，那么他会得到不一样的思考角度和工作方法，这些体验在外围观望是难以感受到的。

风景1 Landscape No.1 300cm×1600cm 布面油画 2000

干杯27 Toasting No.27 200cm×260cm 布面油画 2010

仰望 Look Up 240cm×160cm 布面油画 2010

隋建国

Sui Jianguo

隋建国首先在世博会的建筑工地上找到了一块漂亮的石头，然后利用铁丝网结构将之放大，并最终创造出了这件巨如山丘的作品。通过自己的方式重新经历这起事件，通过更新材料状态和质疑作品的表面处理，呈现在艺术家面前的是一个崭新的未来观。

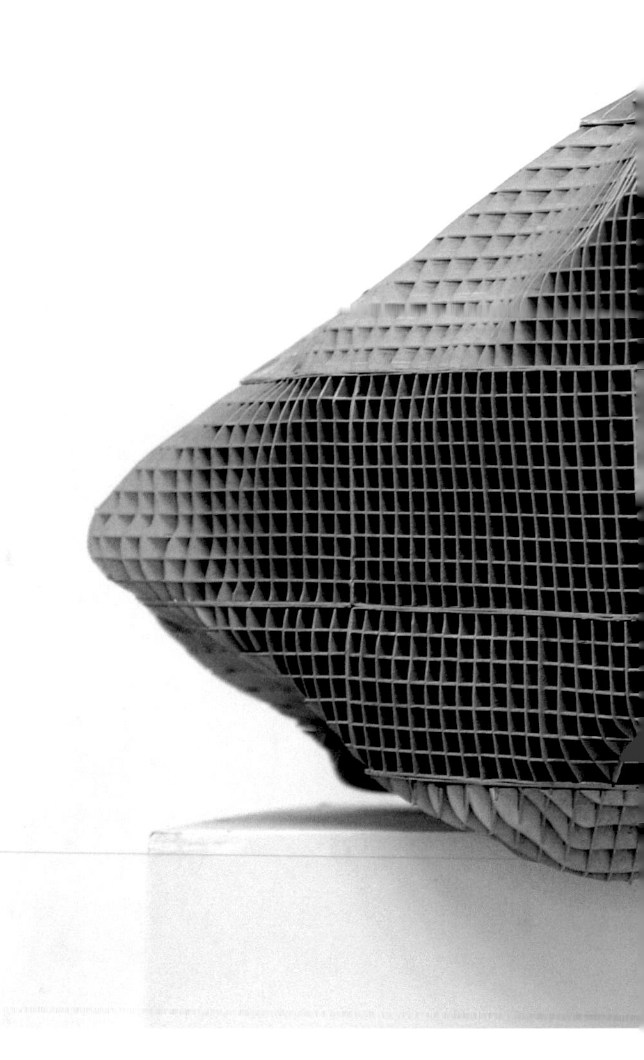

梦之石 Stone in Dream 50cm × 80cm × 45cm 不锈钢 2010

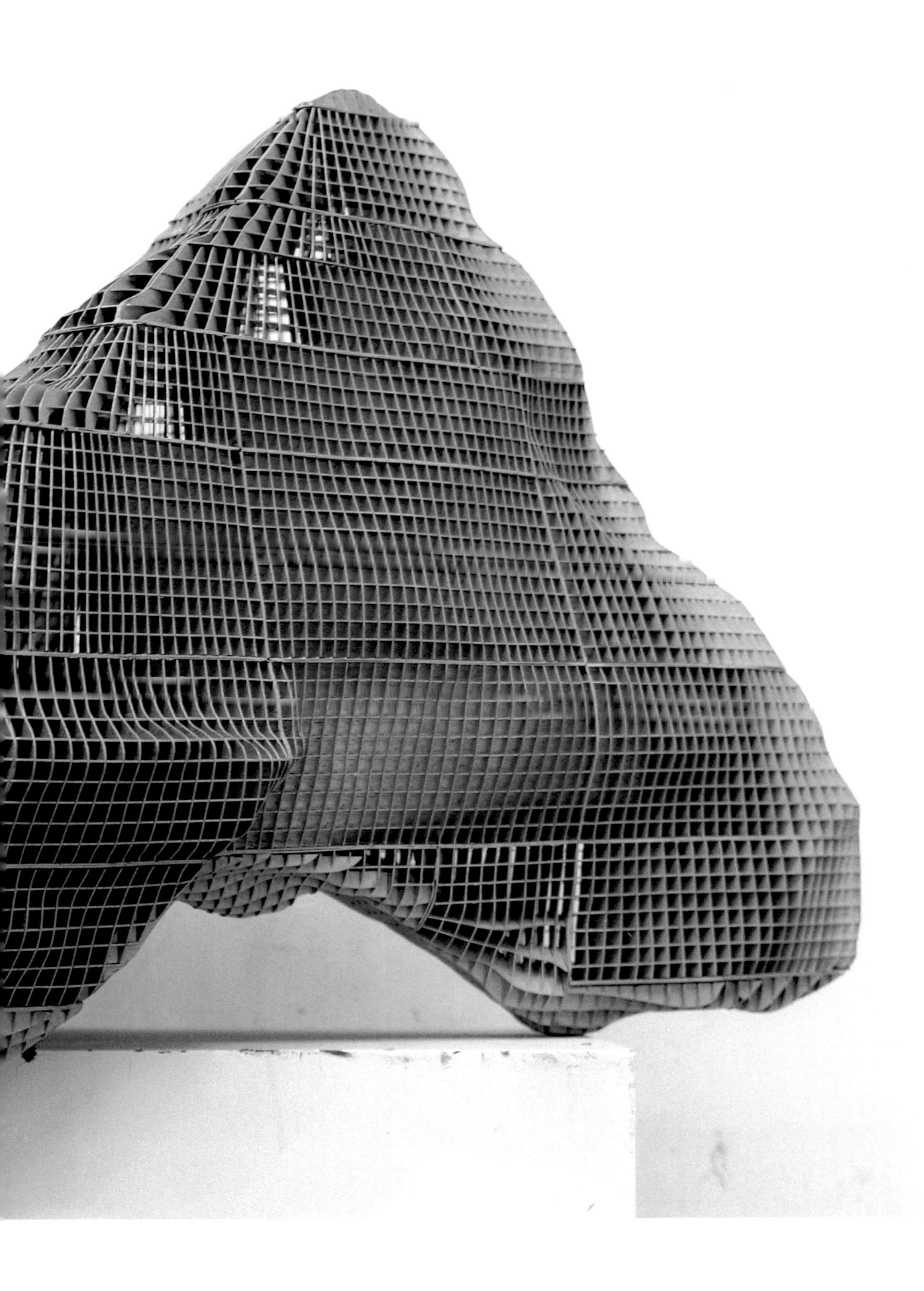

盲人肖像 Portrait of Blind Person 泥及综合材料 2008（上）

运动的张力 Motion and Tension 钢结构、钢管、钢球等 2009（右）

屠洪涛

Tu Hongtao

屠宏涛热衷于制造密集、挤压与腐坏的视觉效果，它们是现实如碎片般堆积、切割、碰撞的结果。正如他笔下那些破碎的身体，深具沉淤之气，是切肤之痛。与许多画家一样，取自于电视、网络、杂志与日常生活中拍摄的图片成为屠宏涛最原始的创作素材。它们在他手中呈现为一堆破碎形象的拼贴，荒诞而无用。他对待图像的方式，恰是媒介与信息时代中图像自身的宿命，无深度，无历史，也无归属。他以图像组合、交织的戏剧性拆解了绘画叙事和意识逻辑，时常造成视觉与语意间的断裂。这种看上去漫无目的的散置堆积，远离了大多数四川画家惯于制造的一目了然的形象图示，使其绘画具有了更开放的框架与更丰富的层次。（吴蔚）

银花 silicon flower 150cm×150cm 布面油画 2010

大雪山 Snow Mountain

180cm×230cm 布面油画 2010

15
15
A

汪建伟

Wang Jianwei

汪建伟一直以来追求跨领域艺术探索，整个作品包含了影像、表演、装置、音乐、灯光视觉艺术等多种艺术元素，尝试将产生于不同时间、空间形式下的艺术元素赋予全新的艺术诠释，并向观众提供一种多向观看和思考的可能。

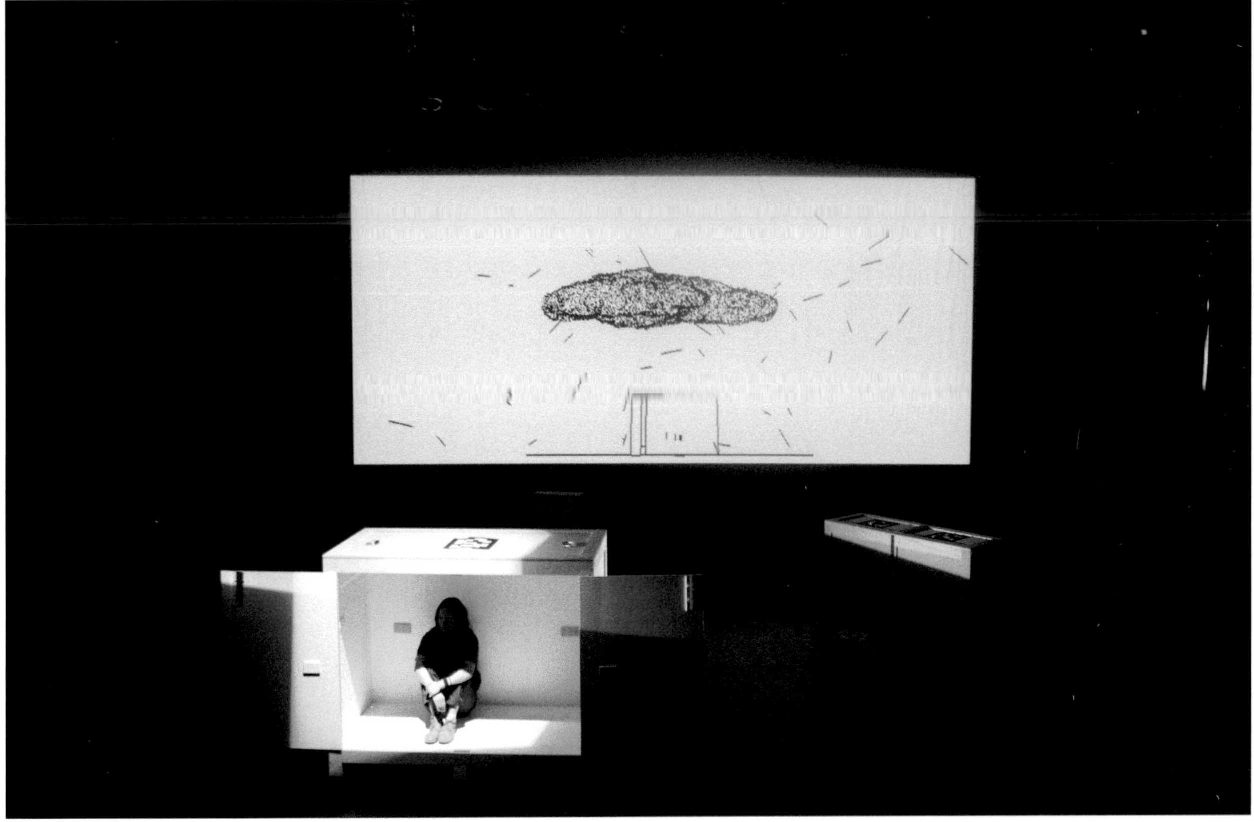

时间.剧场.展览 Time，Theatre，Exhibition

DVD影像《凝视》、多媒体视频、舞台表演、装置及灯光音响 2009

欢迎来到真实的沙漠 Welcome to Real Desert DVD影像、多媒体数字影像、舞台表演、装置及灯光音响 2010

王川

Wang Chuan

“无瞋”（uonaggression）是真实艺术的基础。在北京的三年时光，我有时三小时一气呵成画一幅大油彩，有时候，一个月涂涂改改画不成一幅油彩，不满意地涂掉画面已是家常便饭。这是难舍难分的双向情感障碍在“折磨”我，过程是我的艺术，而不是一种结果。而走笔在宣纸上的线条画坏了，把纸揉成一团，用来擦擦餐桌，擦擦地上的颜色油污。油彩和水墨纸本相互交替，已经成为我每日的功课练习的材质，变成环保型的“精神垃圾”。

人行天桥 The Flyover 200cm×140cm 布面油画 2006

Nepal
人行天
9.11
常

To:Joco Carreras 150cm×180cm 布面油画 2007

王广义

Wang Guangyi

王广义是中国“政治波普”艺术的代表人物之一。他这次参展作品的素材来源是冷战时期中国出版的宣传挂图。挂图中描述了如果战争爆发，人民如何保护自己的一种方式。这种自我保护方式具有一种游戏性，而人民在这种游戏中体验战争的恐惧感。我希望我的这件作品具有一种“立体的教科书”的性质。

冷战美学——防空洞剖面图

Cold War Aesthetic — The profile of An Air-raid Shelter

415cm × 107cm × 215cm 玻璃钢着色 2008

防空洞平面图
15米
2米
肖像底片
PORTRAIT
NEGATIVE

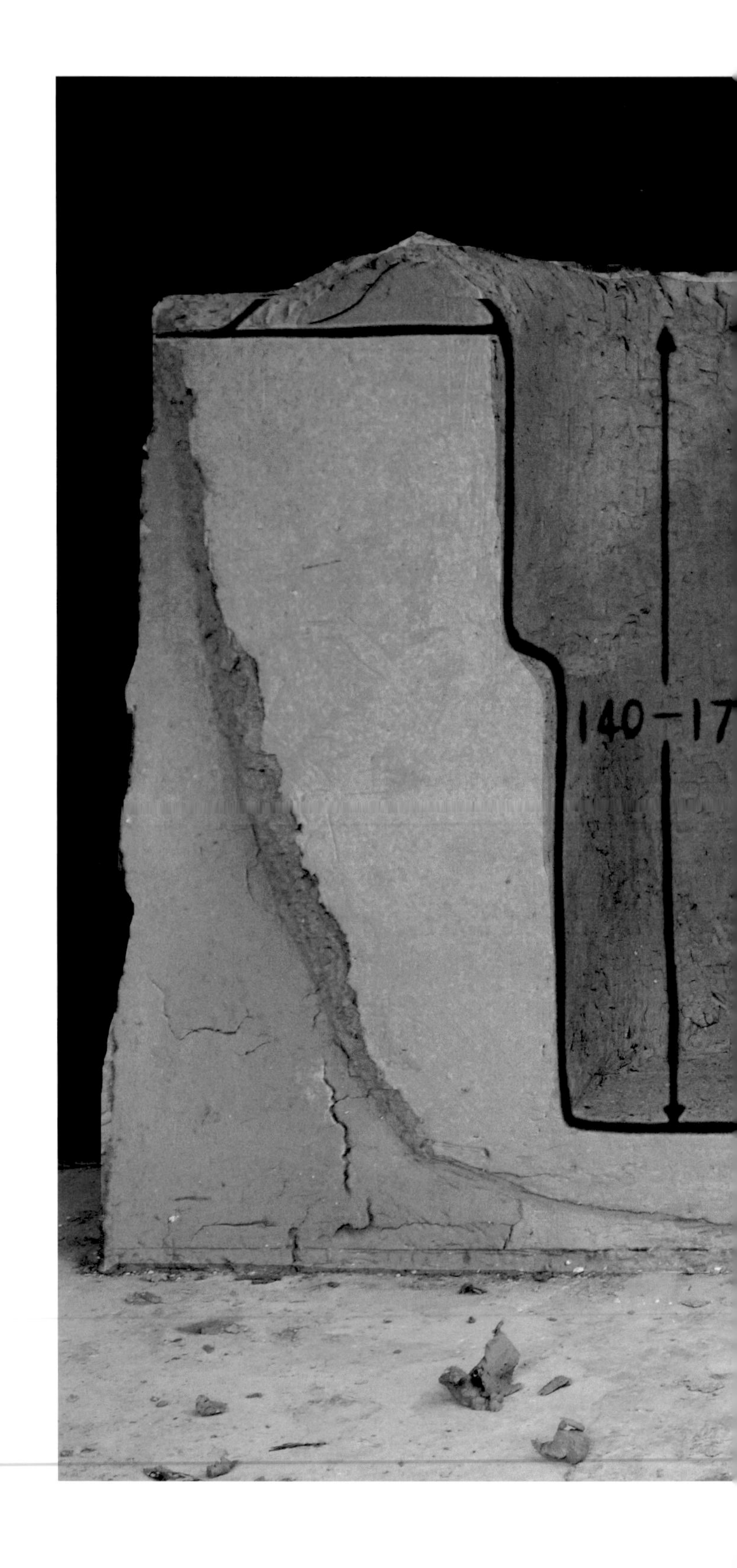

冷战美学 ——躲在防空洞中的人

Cold War Aesthetic — People Taking Cover in the Air-raid Shelters

415cm × 107cm × 215cm 玻璃钢着色 2008

王国锋

Wang Guofeng

我所拍摄的这个系列的作品是上个世纪中叶在前苏联强大的社会主义政治模式影响和规范下所产生的“共产主义理想”系列建筑，这些建筑遍及东欧、亚洲、及拉美一些国家。这些建筑是一个时代的缩影，是一个时代人类理想的纪念碑。在拍摄手段和观念上我采用前期数码高清局部拍摄，后期计算机拼接合成等技术手段来实现在视觉上的高清晰和巨幅尺寸。更具体的说，我通过前期客观的拍摄和后期的主观合成，最终把社会主义理想建筑营造成一种具有另类现代性的崇高雕塑。

乌托邦 No.1 — 莫斯科大学 Utopia No.1 - Moscow University 500cm×1275cm 摄影 2008 / 局部（右）

1949 – 195
МОСКОВСКИЙ ГОСУДАРСТВЕННЫЙ УНИВ

理想 No.10 — 北京饭店 Ideality No.10 – Beijing Hotel 180cm×729cm 摄影 2007（上）

理想 No.6 — 中国人民革命军事博物馆 Ideality No.6 - Chinese people's Revolution Military Museum 160cm × 463cm 摄影 2007（下）

王鲁炎
Wang Luyan

王鲁炎在中国当代艺术史中始终被认为是一个“另类”艺术家，在中国当代艺术价值观的转向过程中，他所建立的艺术观念与方法论区别于流行的艺术观念和理论，他的艺术观念的显著特征就在于把个人化的艺术观念转换为具有普遍意义的社会关系与日常经验，从日常生活、社会美学、技术标准中延伸出对判断的质疑、困惑与反思。社会现实中的诸多关系、日常经验以及价值标准，一旦进入他在作品中设置的“关系系统”，其属性与意义便会立即混淆和转变，导致识别困惑进入判断困境，他的这种独特的微观经验成为他解读和判断一切事物的方法论。（黄笃）

吻 Kiss 180cm × 180cm 布面丙烯 2010

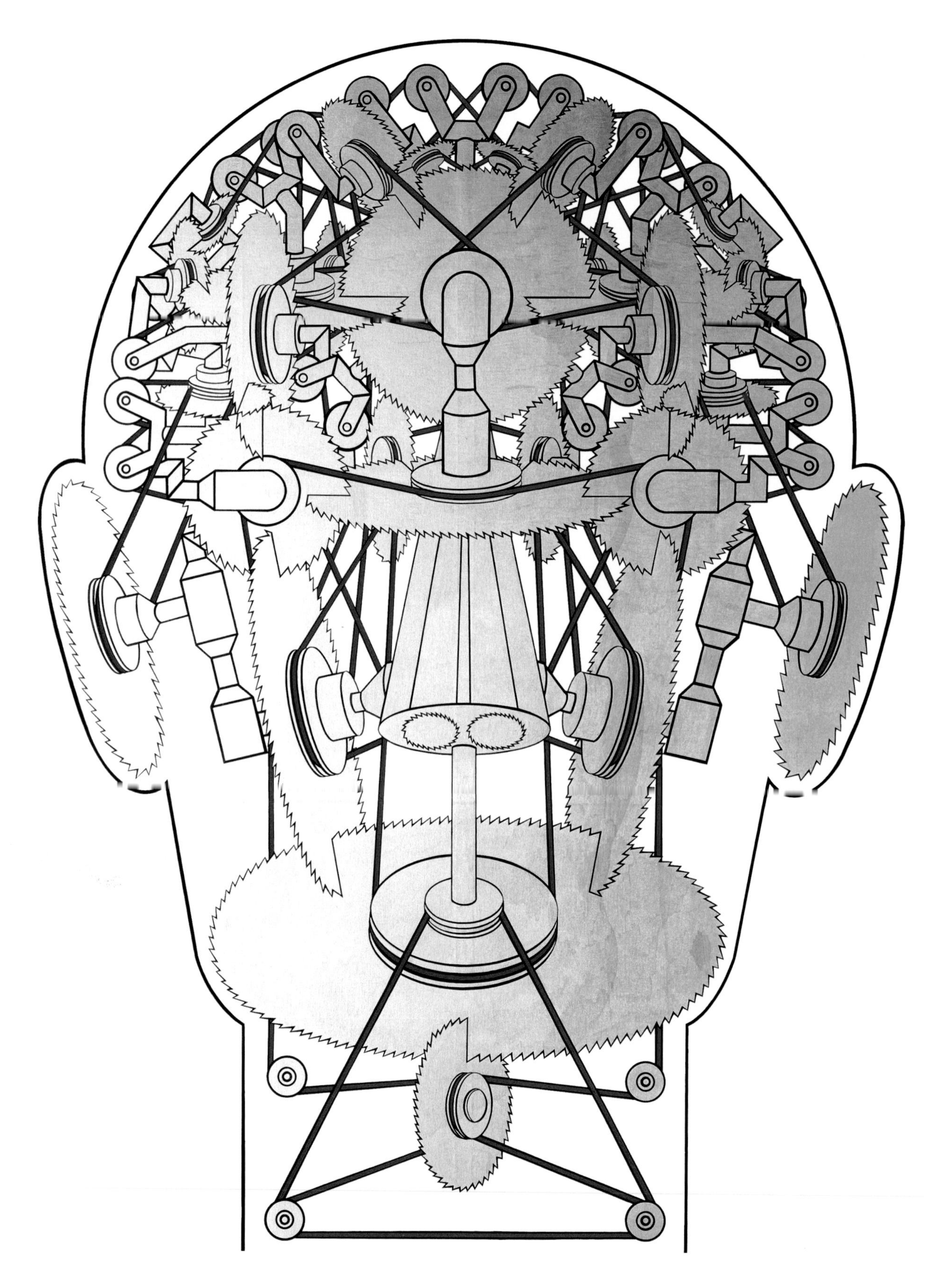

思维方式-1号 Mode 1 of Thinking 400cm×300cm 布面丙烯 2008

世界杯D10-1　World Cup D10-1　180cm × 180cm　布面丙烯　2010

王小慧

Wang Xiaohui

“自我解脱”是王小慧代表作品之一，是她多次获国际奖项的电影作品《破碎的月亮》的片断重新制作的新媒体作品。空中成像装置是同济新媒体艺术国际中心原创的新媒体装置，目前为国内尺寸最大的空中成像装置之一。此作品2007年作为上海科委重大科研项目评审完成。2011年为文轩美术馆开馆展重新设计制作，首次在国内展出。

自我解脱　Self-Extrication

空中成像装置（液晶屏、超大尺寸凸面镜、金属箱等）
215cm×145cm×245cm　2007-2011

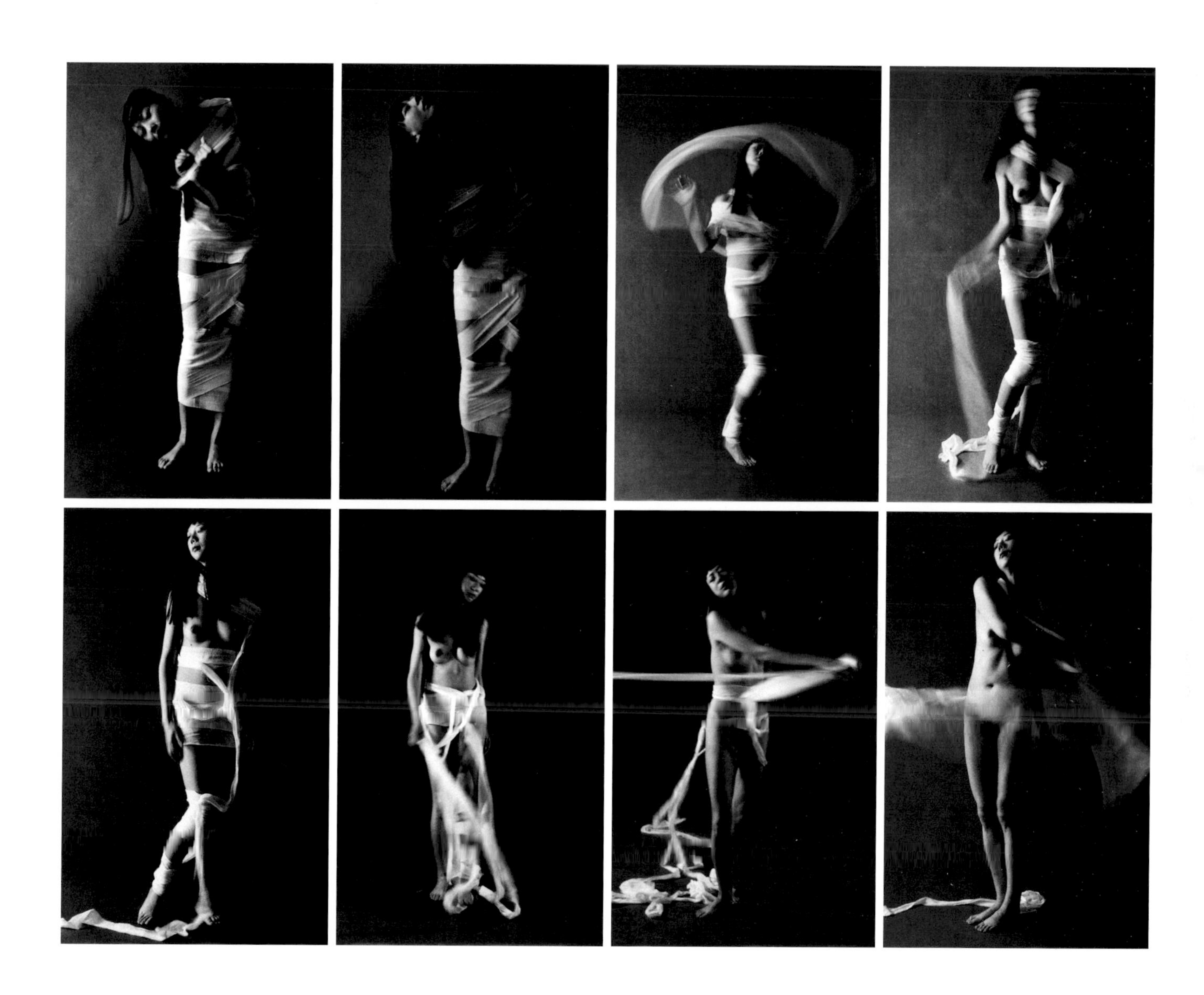

10000个梦 10000 dreams 2000m² 大型影像装置 2011

王轶琼

Wang Yiqiong

“中国情人”是王轶琼近年来版画创作中最常表现的内容。“情人”是一种暧昧的关系，纠结和迷狂让身处其中的人们无法辨清情感的真相，也许内心有一团火，也许内心有一些惆怅，也许内心有一个暗室，也许内心已千疮百孔。谁能知道情人的内心呢？抑郁着的热情，却不能像火山一样喷发，“情人”是地下的，见不得光。

王轶琼的内心一定有这样一个情人，也许是个美人，他一会儿看看这个美情人，一会儿看看自己，或者艺术就是他的情人，让他纠结？革命的刀在他的画里变成了爱情的剑，一剑刺出，剑气逼人。而刺向空中的剑，触到画面却幻化成一种能量，这种精神的能量在刀缝和印痕中反复叠压，消解、积聚、互相挤压。（米有）

中国情人 No.4　Chinese Lover NO.4　296cm × 210cm　布面油画　2007

中国情人 NO.1　Chinese Lover NO.1　296cm×210cm　布面油画　2007

不,能飞翔! NO.1　Yes,Can Fly! NO.1　296cm×210cm　布面油画　2007

王智远

Wang Zhiyuan

艺术本体已经失去自我更新的动力，这些已被烂用的艺术形式、媒介还能与人、当下或地域性相联系，或许是它还能继续存在的理由。

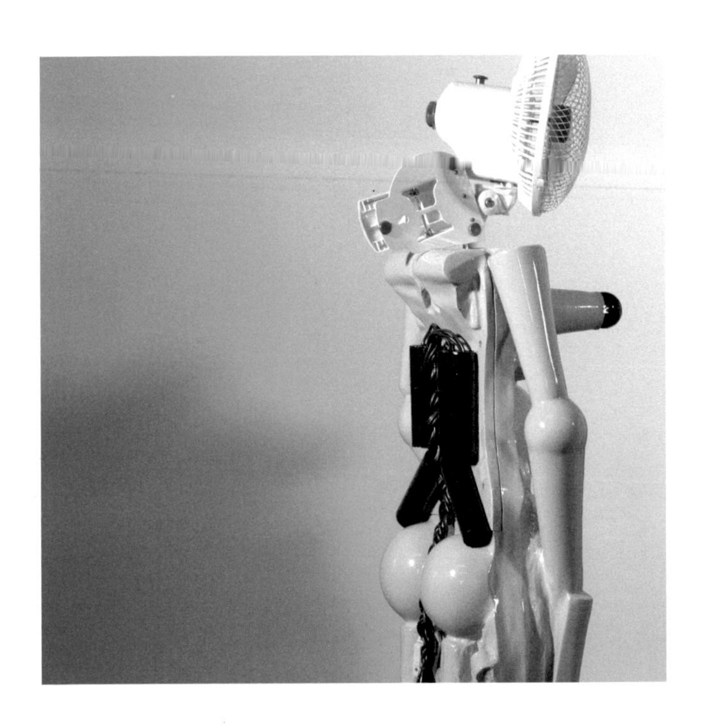

黑寡妇（局部） Widows (Details)

黑寡妇 Widows 有限定制作:20件 每件尺寸:137cm×44cm×31cm 多媒体 2008-09

王智远 朱迪 Wang Zhiyuan Judith Neilson
黑寡妇 Widows 装置直径：650cm 多媒体 2008-2009

武明中

Wu Mingzhong

武明中是近年来颇受关注的重要艺术家之一。他的艺术创作源于从自我脆弱的情感体验中偶然发现的作为表现媒介的玻璃与人的心理反应之间的关系，他把这种观念转换而成一种新的个人化的艺术语言——脆弱性和透明性。这正是武明中绘画语言的美学核心，既折射出对人的脆弱心理学的分析，又表现出透明社会学的指涉意义。如果说前者更多产生的是个人化的视知觉感受，那么后者则更多强调的是对社会系统的剖析。（黄笃）

我不知道喂的东西对不对 Am I Right 200cm × 120cm 布上油画丙烯 2010

时尚2010 Fashion 2010 200cm×130cm 布上丙烯 2010

爱能持续多久？之二 How Long Does Love Last No.2 200cm × 160cm 布上丙烯 2007

向京

Xiang Jing

向京的《敞开者》（2006）在主题上正彰显了对于客观世界的接纳意识，而处在对于客观世界逐渐敞开的情感状态之中，自我的焦虑慢慢减弱，代之以深阔起来的体验。她意识到，“静静地去看一个灵魂，是重要的”，在每一个身体、每一个灵魂那里，无论是那种《我22岁了，还没有月经》的奇特类型的女孩，还是《秘密的瞬间》（2005）之中的那种在街头偶然瞥见的老年女人，都蕴涵了生命的神秘和存在的奥妙，在向京对于她们所作的观察、冥想与表达之中。“女性身体”这一主题已然超越出自我的青春期体验，进入到更为冷峻深邃的现实深处，而她对于自我的反观或者说对于自我封闭的表现，则来得更为超然与准确——《寂静中心》。这样的主题是一个过度沉溺于个人世界、拒绝长大的“女孩”所无法谈论和面对的，唯有一个成熟的母体才可以作出这样果断、干净利落的介质。（小小）

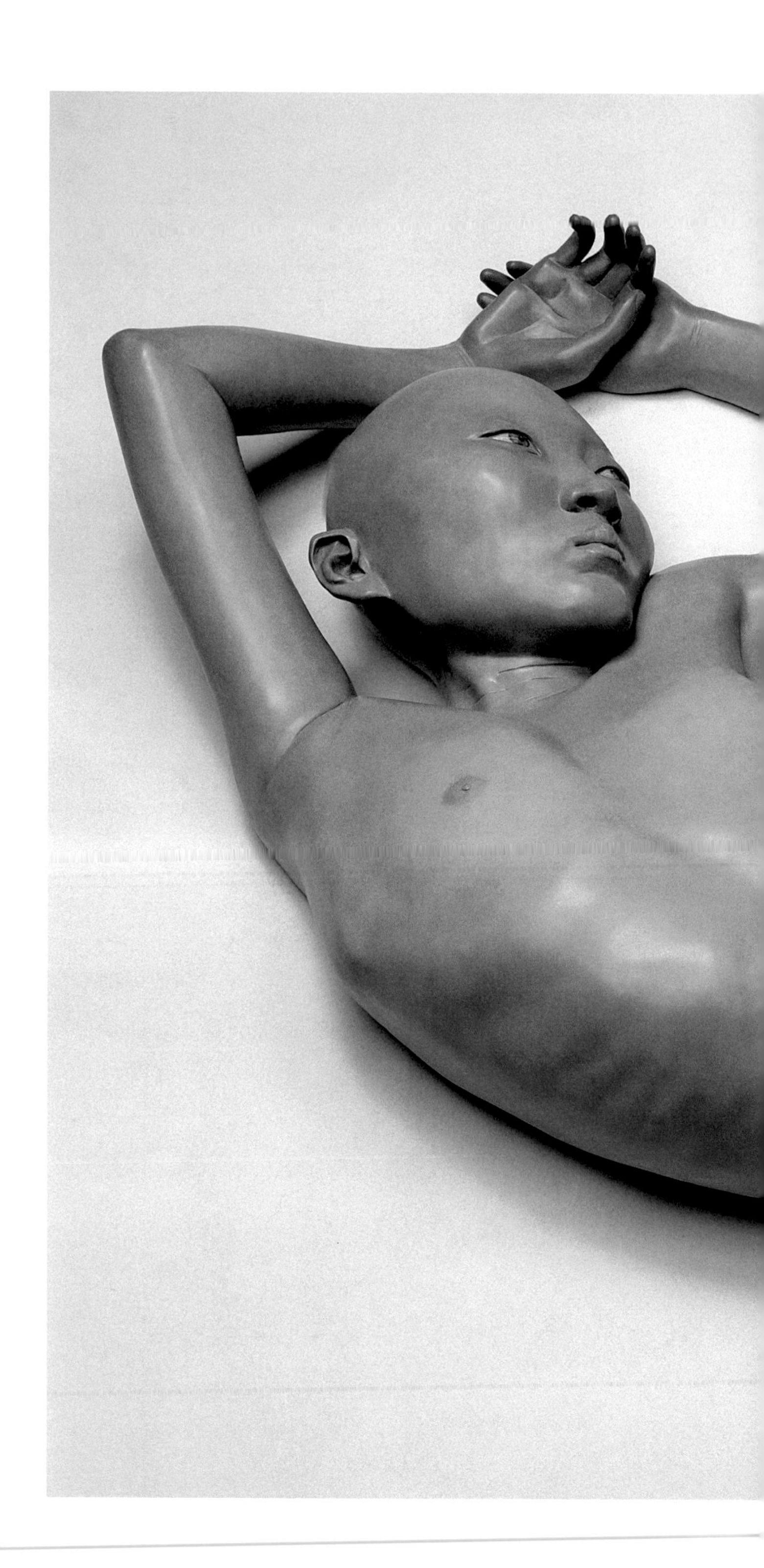

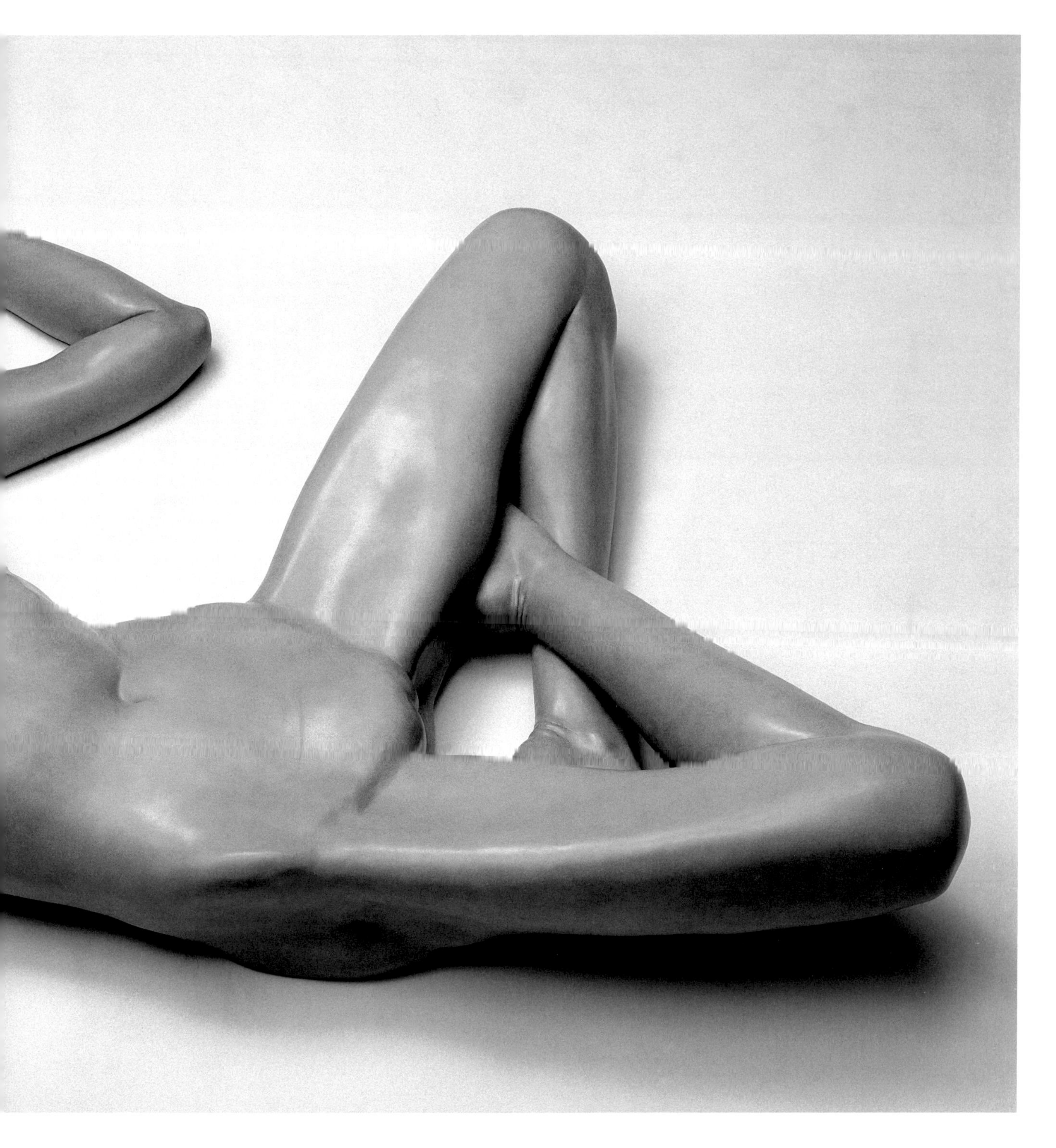

我22岁了,还没有月经 I Am 22 Years Old, But without My Period 30cm × 155cm × 95cm 玻璃钢着色 2007

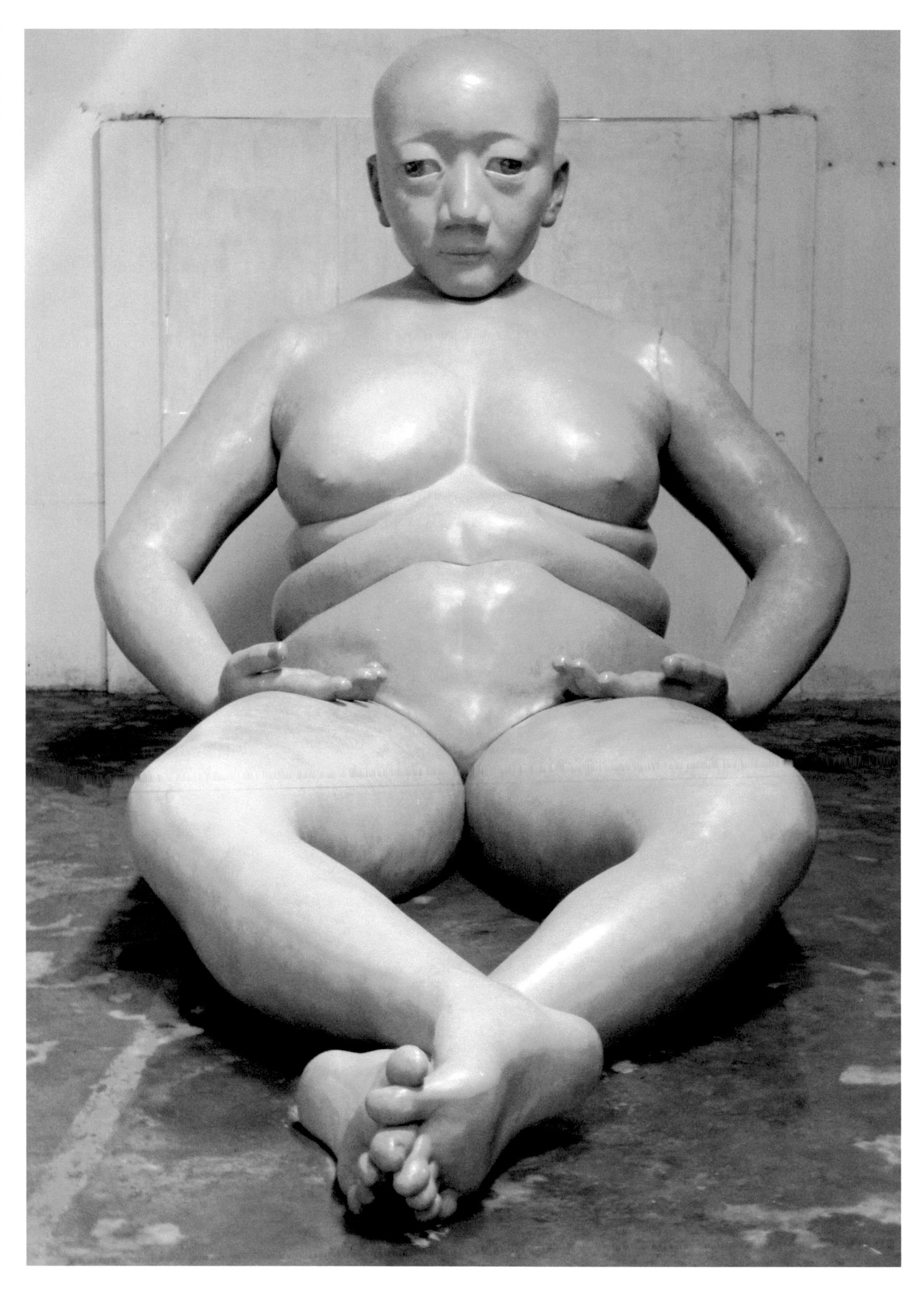

敞开者 The Open 360cm×360cm×610cm 玻璃钢着色 2006（左）

熊宇

Xiong Yu

熊宇作为上世纪七八十年代的标志性艺术家，在他的绘画中可以找到七十年代中后期一代人的许多特征，比如梦想，漫画的视觉风格，幻觉似的体验，形象和颜色的酷，迷上瘾的电子文化的感觉。熊宇是一名拥有古典主义背景的画家，但像其它70年代早期出生的人一样，深深地受到动画的影响。因此，他能够打破社会现实的禁锢，通过超现实的、虚拟世界的生物来构建属于自己的艺术语言。他那些在雄性激素作用下想象产生的生物，以及最近塔罗牌中的角色，都强调与突出了人类的信念。通过他的作品，熊宇构想出一个独特、自主以及无所不在的图景。这些出现的生物被标注以象征主义、精巧以及隐喻的特色，由此引发了在它们自身背景下关于存在的新思考。

各场景之间彼此独立。尽管总是伴随着肖像画的特征，这些图像却中更画有优动的限制，那些夸张的接近漫画形象的角色长着大大的眼睛，用优美典雅的姿态，轻易地就吸引了参观者的眼球。熊宇在成都生活，他创作自己的作品，同时也在大学任教。他的作品忠实于当地的景观，那里的天空总是被一层浓雾所笼罩。可能这就是那些纯洁的、看上去像天使的生物的灵感来源。他们有些有翅膀，但却与伊卡洛斯不同，这些翅膀的用途看上去更像是在吸引观众而并非飞翔。（Tereza）

工作者 Worker　200cm×150cm　布上油画　2009

穿越丛林的光 The through The Forest 200cm×150cm 布上油画 2009

工匠 Craftsman 200cm × 150cm 布上油画 2009

炼钢者 Steelworker 200cm × 150cm 布上油画 2009

徐冰

Xu Bing

《凤凰》是徐冰创作的最大的一件装置作品。长度分别为18米和17米，总重12吨。制作材料取自城市建设过程中的建筑废料、劳动工具和工人生活用品。创造手法显示出中国方式艺术创造的魅力。此作品的反思性,与城市足迹、财富积累、现代生活产生着直接和隐喻的双重关系。可以说《凤凰》关注的是过程背后的实质。这两只凤凰既凶悍又美丽，通过它们的每一片翎羽散发着神性，这神性是通过每一个劳动者之手的触碰传递的。

凤凰 The Phoenix　装置 2010

凤凰 The Phoenix 装置 2010

凤凰 The Phoenix 装置 2010

许仲敏

Xu Zhongmin

今天，生活在中国意味着生活在一个不断前进的乌托邦中。我所居住的城市北京周围的现实情况正在极大地改变着城市风景，以至于乌托邦总是在你试图想象之前就已经实现了。实际上，在当今的中国，乌托邦总是在你的左右。像北京和上海等城市生活在营造乌托邦中。我对乌托邦的看法是一种回顾的观点。我拿巴克明斯特·富勒的网格球顶为例，网格球顶是富勒于二十世纪四十年代发明的。富勒的雄心壮志是创造一门“设计科学”，能够以最少的精力和材料消耗来创造最佳的问题解决方案。1949年，富勒因创造网格球顶出名。这种结构的球顶包括一个复杂的三角形网络，构成一个近似的球形表面。为了创作一个看上去非常近似于一个真正球体的形状，这个三角形网络必须弄得非常复杂。这在二十世纪四十年代是一种乌托邦，而今天，你看一看北京的歌剧院就行了。为了准确地回答你的问题，我真的认为，乌托邦的表达是一种虚构。宗教体验至少表达了一种对人类和乌托邦的体验和信念。

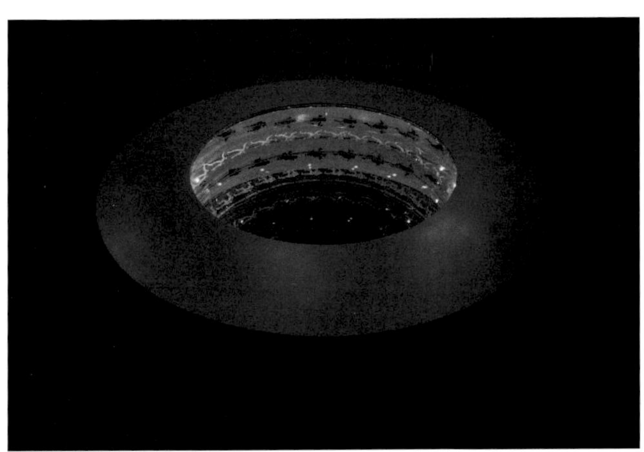

幻 Fantasy　210cm×51cm　机械装置　有机玻璃、玻璃、玻璃钢、不锈钢、LED灯　2010

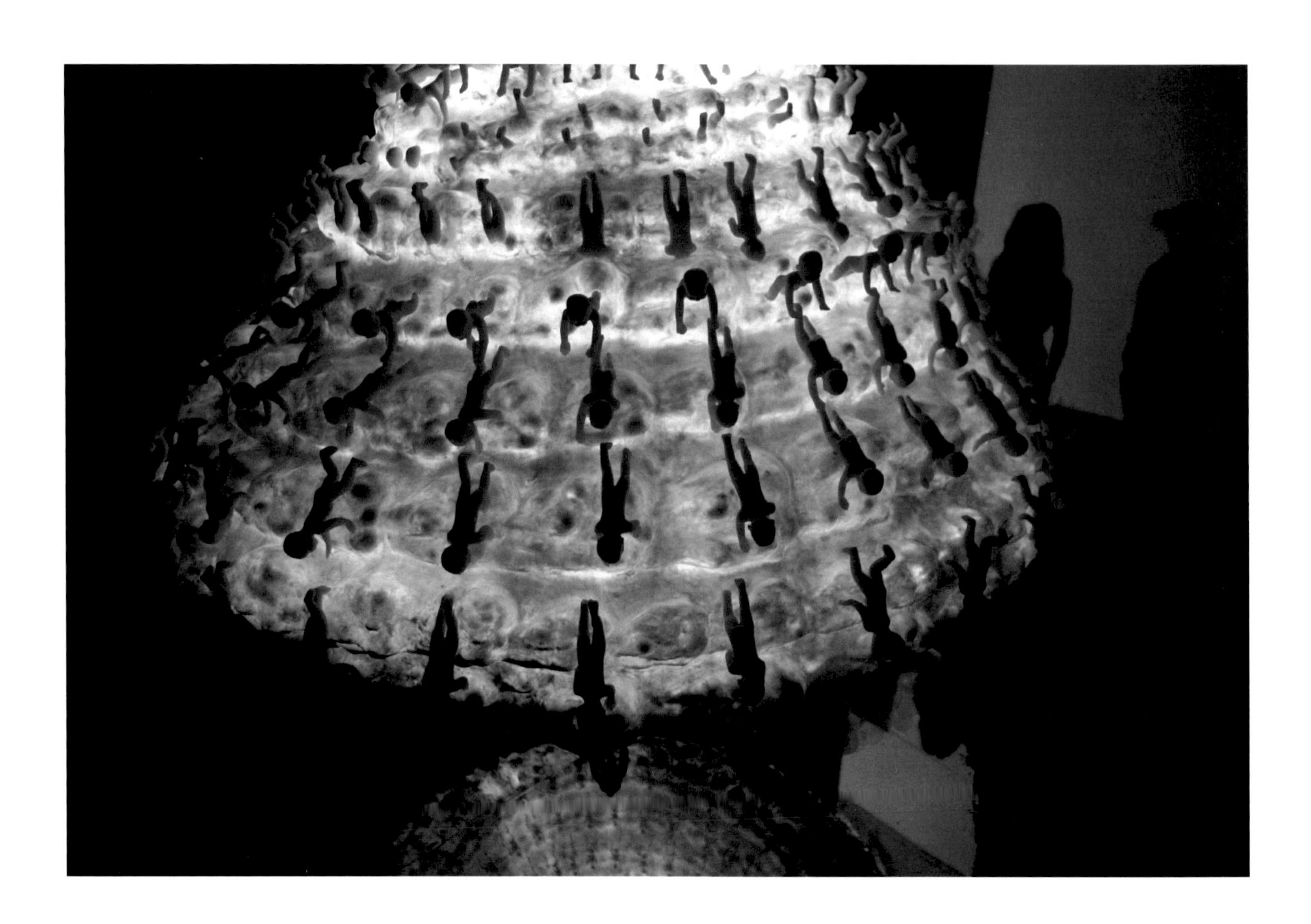

云No.2 Cloud No.2 250cm×250cm×260cm 机械装置 2008

隧道 Tunnel 600cm(L) × 65cm(H) × 52cm(W) × 3 机械装置 2005

颜石林

Yan Shilin

颜石林用稚拙的儿童形象回应了年轻艺术家乃至一代年轻人刚刚踏入成人世界的惶惑。他创作的躯体略显扭曲的儿童，有着成人的内心，他们通过自己微小谨慎的动作获得属于自己的小小空间。

怎么了？空沙发 Deja Vu 228cm×378cm×212cm 玻璃钢着色、铸铜 2010

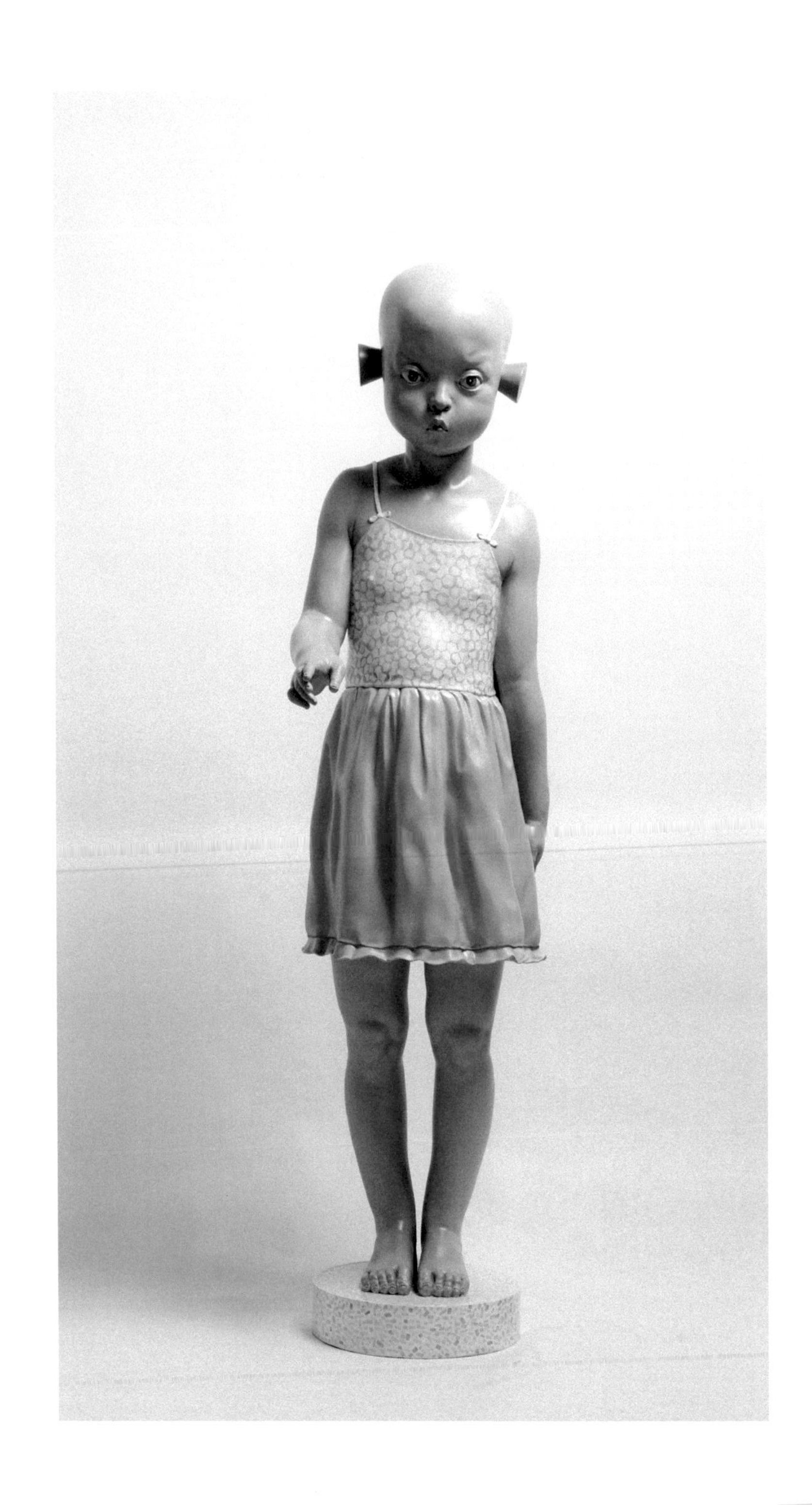

怎么了？似曾相识 Deja Vu 173cm × 45cm × 60cm 玻璃钢着色、铸铜 2010 （右）

一朵两朵三朵 Bunches 175cm × 60cm × 60cm 玻璃钢着色、铸铜 2009

杨黎明

Yang Liming

杨黎明的绘画是用中国毛笔勾勒，以书法为基础的线条高密度反复叠加而成，带来一种微妙的厚重感。用线条在水平的纬度上垂直的分离出一个个虚拟的空间。线条在空间中不断震荡，并释放出高密度、强有力的能量。如同光学中的“晶格结构”并将其复杂的思想及情感，灌注于其中。让人沉浸于一个深度的空间之中，迷失，并完全忘却时光的消逝。
（亚历山卓·格林姆）

2010 No.1R 150cm×200cm 布面油画 2010

2009 No.1B 210cm×285cm×3 布面油画 2009

杨冕

Yang Mian

杨冕的CMYK风景系列同样受到平面媒体的影响，用极富戏剧性的CMYK四色分配（青、品红、黄、黑）来复制山水画经典，因此，印刷中使用的色点被放大，成为构图的主导。

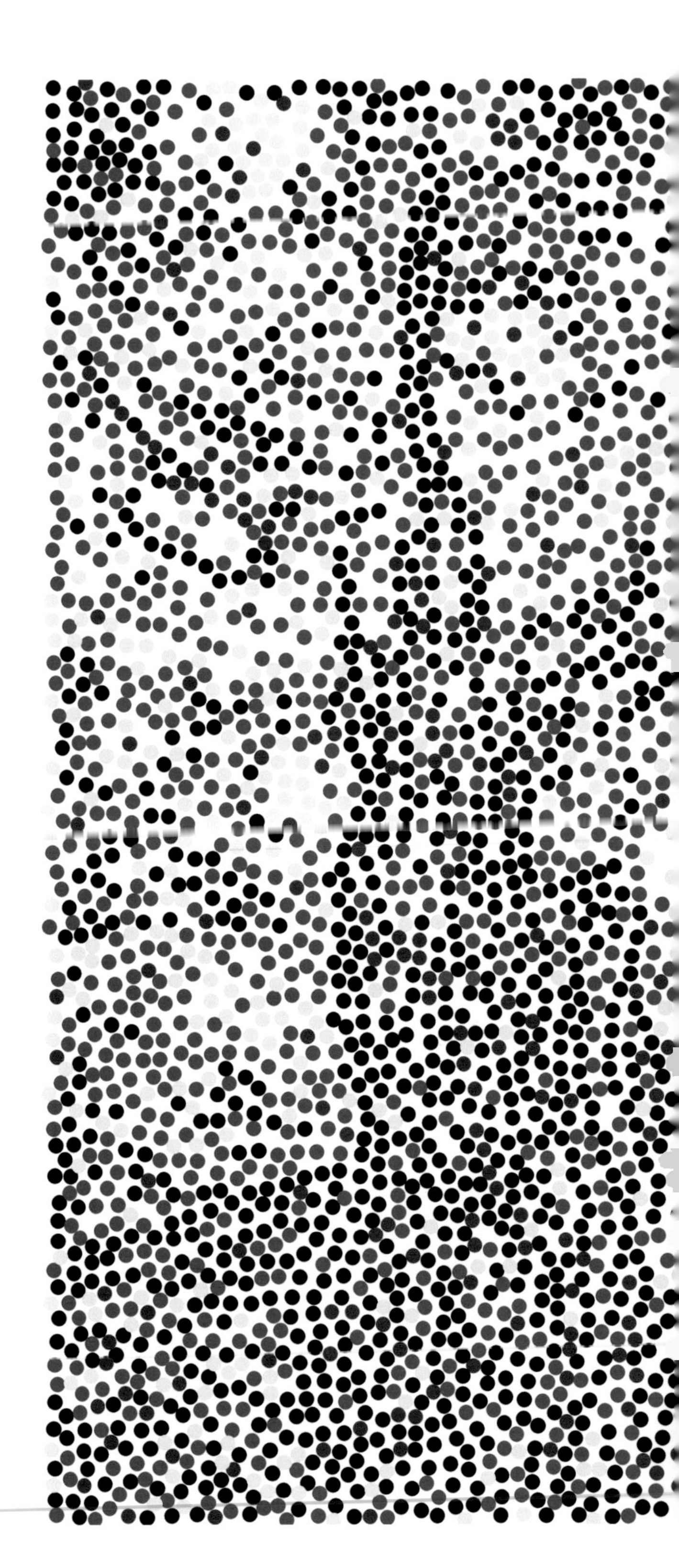

CMYK — 凡高星夜 CMYK-Starry Night of Van Gogh

280cm×400cm 布面丙烯 2010

CMYK — 南宋马远水图之十·层波叠浪
CMYK — The Southern Song Dynasty，Ma Yuan，
Water Atlas，NO.10，Waves upon Waves

140cm×220cm 布面丙烯 2010

杨千

Yang Qian

杨千充分发挥了个人创造力和利用了日常生活能量，创造的作品并不是如实搬用或复制原有的日常形态，而是艺术家通过对客观事物进行选择、过滤、转译和放大后艺术升华的结果。它既产生一种在人心理经验中交织着熟悉与陌生的疏离感，又创造了一种出人意料的超日常形式，同时又进一步让人去想象、联想和体验与社会文化语境关联的指涉、寓意、讽喻和批判。它的观念是多意的，甚至是歧义的，观众在作品面前也就有了自由而无限的阅读和理解空间……

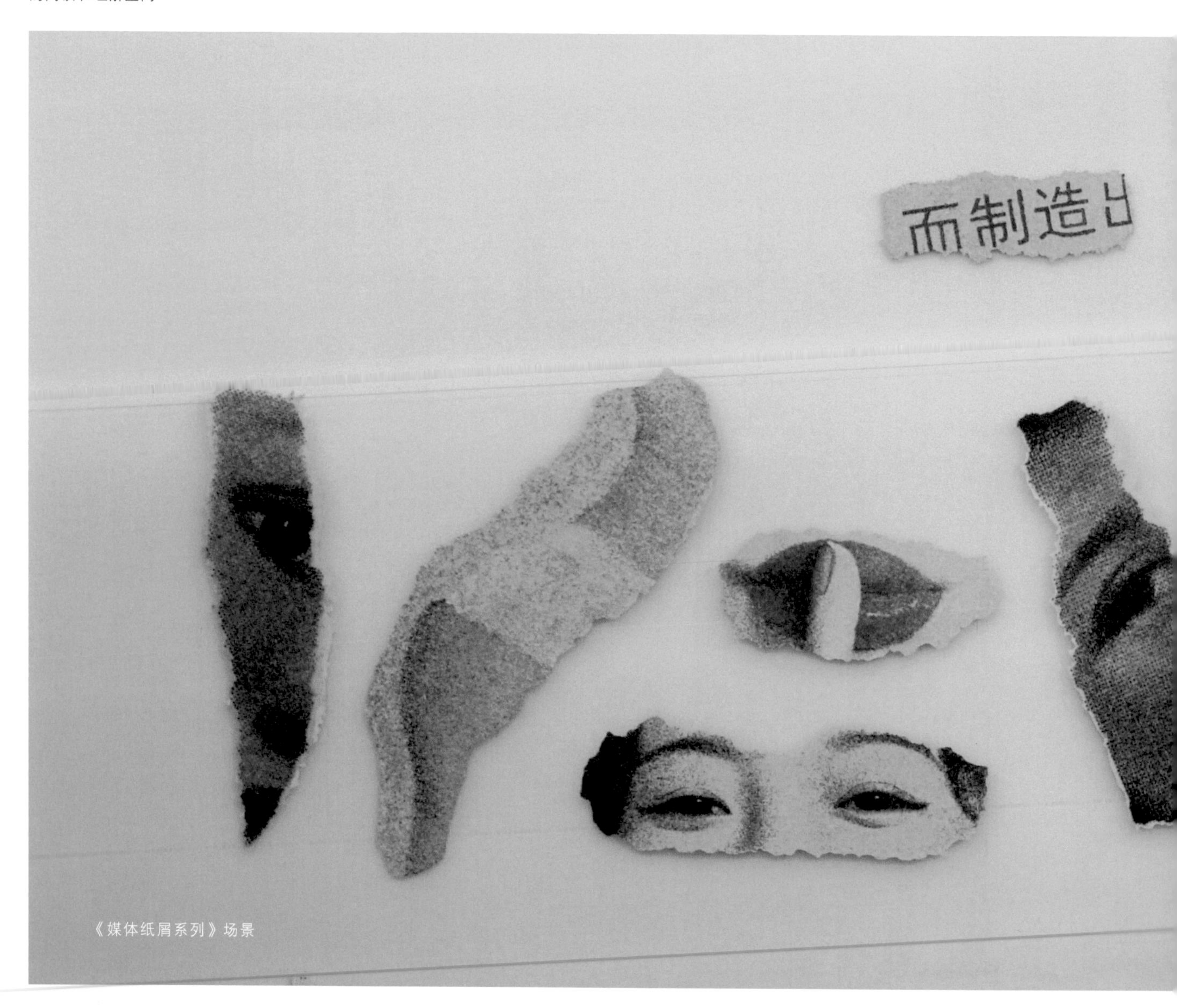

《媒体纸屑系列》场景

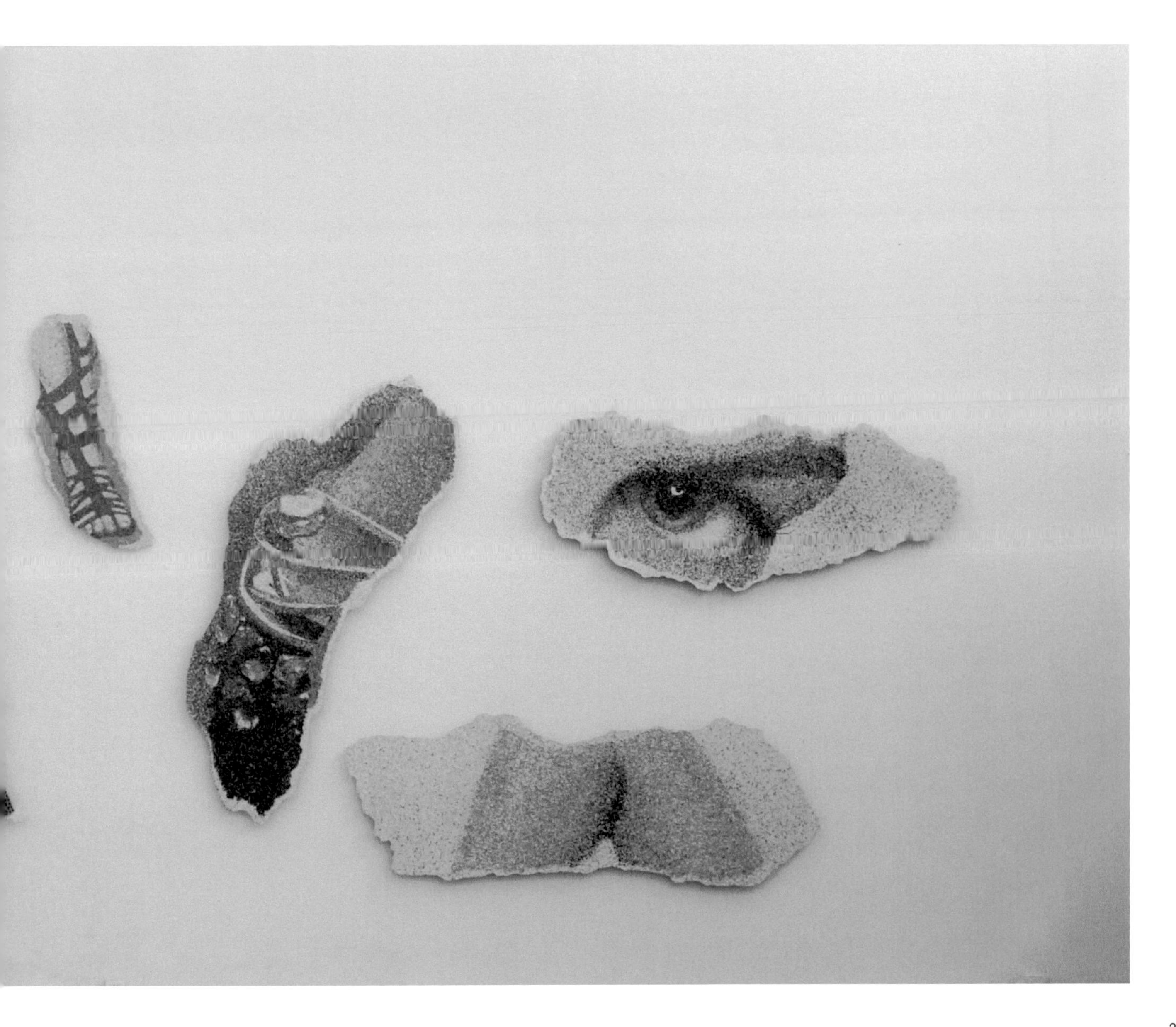

媒体纸屑 — 蓝色眼睛 2 Media-shreds-Blue Eyes 2 170cm×65cm 杂志纸屑于木板 2010

媒体纸屑 — 双眼 2 Media-shreds-A Pair of Eyes 170cm × 60cm 杂志纸屑于木板 2010

杨述

Yang Shu

区别于传统意义上的西方抽象艺术，作为经历中国当代艺术30年变迁的当代画家，杨述显然习惯于把抽象的意念和行动痕迹首先看作是摆脱绘画性约束的手段，骨子里那份人文主义情结的知识分子特性，把杨述无意中所流露的“大象无形”的东方式的精神理念注入其中，这种绘画模式，已然不同于(西方)纯粹抽象绘画，却在另一方面有意识摒弃中国式的符号来做不确定的暗示，或以文字作了诗性的提示，或利用新的带表现性质的抽象符号的重新塑造一种略带关怀的视觉效果。这是一种艺术追求的抽象性的中国方式。有人称之为“梦呓者”的绘画，很显然，这是属于杨述的风格符号。（纪旺）

无题2009 45-1号 Untitled 2009 45-1
100cm×220cm 布面丙烯 2009

无题2009 45-3号 Untitled 2009 45-3

100cm×220cm 布面丙烯 2009

无题2009 45-5号 Untitled 2009 45-5
100cm×220cm 布面丙烯 2009

叶永青

Ye Yongqing

我常常感到我的生活就像一只不断迁徙的鸟，总是在不同的城市中迁徙，像碎片一般没有固定的居所。我把创作整理成为一种绘画的方式：我对准一个靶子并继续前进。

画鸟 Drawing and Birds 200cm×200cm 布面丙烯 2008

画鸟 Drawing and Birds 200cm×150cm 布面丙烯 2008

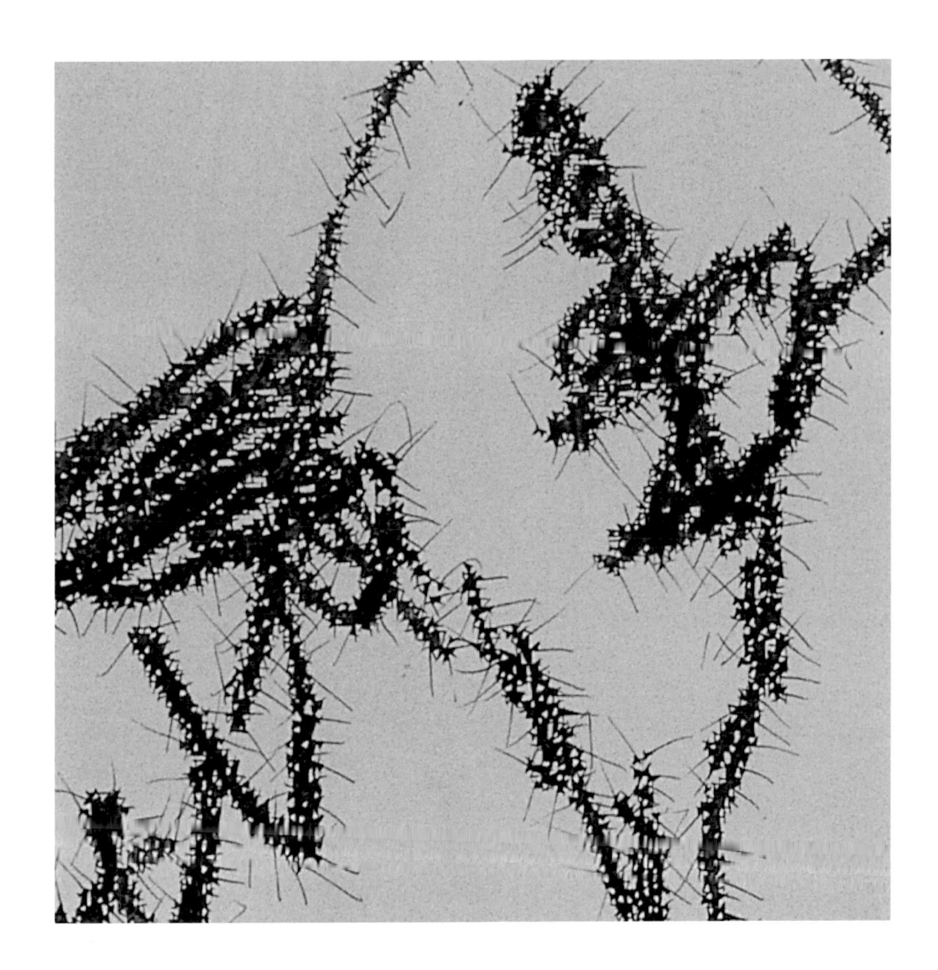

画鸟（局部）

余 极

Yu Ji

摄影纪录的是90后的另外一种牧歌式的游戏状态：当他们从网络、酒吧和家园出走时候，城市边缘是他们徘徊的地方，这里有没有开通的新路、火车的轨道、农田旁的乱树丛、一只流浪的无助的狗和一支象征解放的步枪，甚至有永远没有水的游泳池……，孩儿们扮装嬉戏，像上世纪五六十年代的年青人在草地上歌咏和跳舞一样快乐。作品戏剧性的内容表达对自然、自由的向往，以此表现让自然和心灵逐渐消失的高速的生产力带给人们的紧张、谬误、迷惘和压力。

熊和熊的枪-2　bear & bear's gun - No.2

120cm x 150cm　摄影　2008

熊和熊的枪-5 bear & bear's gun - No.5 120cm × 150cm 摄影 2008

熊和熊的枪-9　bear & bear's gun - No.9　120cm × 150cm　摄影　2008

喻晓峰

Yu Xiaofeng

将收集的旧木材加工改造成私人信箱、灯塔、小木屋等具有象征意义的模型，在这些模型的内部安装一对仿真的眼球，观众在观看作品时会发现作品的内部有一双眨动的眼球也在看着观众。

作为建筑材料的旧木料通过手工改造加工成模型的过程是一种价值的重生，旧木料残留着之前使用者生存空间的痕迹与气息。而新产生的模型的外部特征是身体在社会空间中迁徙流变的纪念碑式的象征物。其内部空间被置入会眨眼的仿真眼球具有某种荒诞意味，静止之物被拟人化，更是产生空间与身体的矛盾性。

守望者No.1　Catcher No.1

150cm × 50cm × 35cm　木材、丙烯颜料、玻璃、仿真眼球等　2010

守望者No.2　Catcher No.2

150cm×50cm×40cm　木材、丙烯颜料、铁皮、仿真眼球等　2010

岳敏君

Yue Minjun

自20世纪90年代初以来，岳敏君以“自我形象”放大而备受关注和论评。他被看作是“玩世现实主义”的代表画家之一。岳敏君绘画中的“自我”要么开口大笑，要么紧闭双眼，要么动作夸张，要么自信十足。他甚至把这种“自我形象”放大夸张成了一场场游戏，并与外界发生着某种关联。过度的“自我形象”的游戏演变成了对专制主义的个人崇拜的戏谑和讽刺。这是岳敏君“自我”最普通化的艺术语言和形式风格，也是一种最强烈的反叛形象和批判意识。

我是龙-3（局部） I am Dragon-3 (Details) 220cm × 300cm 布上油画 2008

我是龙-3　I am Dragon-3（Details）　220cm×300cm　布上油画　2008

曾妮

Zeng Ni

现实是残酷的，但生活又可以是诗意的。如果白天代表世俗生活，那么黑夜就暗指属灵的世界。每当夜幕降临时分，也是人内心柔软敏感时刻！一切仿佛改变了原有的模样，喧嚣的城市归于了平静，而无数的芬芳在夜幕中吐艳，色调亦变得鬼魅怪异，你会想要躲进一个温暖安全属于个人隐秘的地方。在画中，我设计了这样一个虚拟的场景：在城市的边沿，介于世俗和属灵的边界，繁星点点，树枝缠绕，杂草丛生，一个可爱的小人儿蹲在草丛中……“纯真的孩子”更能突出属灵的动人的美丽，“蹲在草丛”的动态暗示想要寻求更多的安全感，进而表达一种“躲避现实”的意味！想想有多少人能“直面生活”呢？有的人逃到幻想里，有的人逃到爱情里，有的人逃到艺术里，有的人逃到娱乐里…..如你如我！

声音和芳香在晚风中飘荡 Voice and Aroma Fly over the Night breeze 150cm × 180cm 布面油画 2010

纠缠 Tangle 120cm×80cm 布面油画 2010

蔓延 Spread 70cm×50cm 布面油画 2010

展望

Zhan Wang

假山的名字很有意思，明明是真的山石，我们叫假山，这充分说明了人类造梦的本质，如果是假山那应该是玻璃钢做的才叫“假山”。我非常感兴趣做的事是为我的发明创造传奇、制造故事，这些空间其实都是现实存在的，它既不是梦境或超现实的空间，也不是现实主义的空间。这些空间虽然存在于世，但都是人很难到达的，我的兴趣点就在这里。

山水家具 Shanshui Furniture 尺寸可变 不锈钢石头 木桌椅 1998–2008

万神药 Deity Medicine 900cm×300cm×300cm 不锈钢 2008

张奇开

Zhang QiKai

大熊猫不仅已提升为中国文化的象征，也是世界和平的标志，然而在张奇开的作品中却给人留下了孤独寂寞的印象。大熊猫身处的环境或许不一，但作品中那安静而空旷的感觉却是一致的。它们被物质世界所包围，同时又屈服于消费文化，这似乎暗示了它们和当代社会之间的矛盾状态。另一方面，尽管大熊猫本身对周围发生的一切充满了无比的好奇与质疑，但却似乎给人们带来了精神寄托和慰藉。

华尔街上空划燃了一根永不熄灭的火柴 Eternal Flame above the Wall Street
140cm×180cm 布面油画 2009

隐藏在20世纪中的一场恋情 Secrete Love Born in Twentieth Century

180cm×300cm 布面油画 2008

从画中取出证据 Evidence in Painting
150cm×220cm 布面油画 2007

张小涛

Zhang Xiaotao

我的工作一直关注中国今天这个压缩的现代性神话背后我们心灵史的煎熬和挣扎历程，这是中国很独特的希望和毁灭交织的复杂经验。病毒学的概念既是病理学的也是社会学的，既是个人的也是社会的，每一代人都会遭遇到不同的困境，我试图呈现这些复杂的“病理学”报告。从我早期画的医用垃圾、霉烂图像、重钢，到世界之窗、纽约地铁站，再到网络偷拍图像，在我看来，它们之间是有一个内在视觉逻辑，这就是关于现场的“病毒史”。我希望客观的呈现这种事实，通过视觉来研究和分析这些“病根”在哪里？用艺术的方式如何去修复我们的心灵之痛？

暴雨将至之四　Coming Tempest No.4　300cm × 200cm　布面油画　2007

通道之一　Tunnel No.1　200cm×300cm　布面油画　2007

通道之五 Tunnel No.5 200cm×300cm 布面油画 2010

张晓刚

Zhang Xiaogang

张晓刚是中国最重要的当代艺术家之一。
在欣赏张晓刚作品时，我们会发现他一直保持其绘画的独特美学趣味，将绘画与历史和记忆的关联，探索失忆与记忆的内涵和意义，进而涉及到在公共空间与私人空间的关系中历史是如何在个人心灵和记忆中留下痕迹。（黄笃）

绿墙1号　Green Wall-2009 No.1　200cm×150cm　布面油画　2009

绿墙 — 有取暖器的房间 Green Wall-Room with hea 160cm × 200cm 布面油画 2006-2008

绿墙-餐厅　Green Wall -Dining Room　150cm × 200cm　布面油画 2006-2008

赵能智

Zhao Nengzhi

显然，这些画面上的人物基本上都是处在感觉的极端状态，也就是说，感觉的最强状态。所有的具体感觉都达到了它的极限——我们可以将这种强度状态称之为歇斯底里。歇斯底里不是一种具体的感觉，而是一种感觉强度的命名，这种感觉完全被感觉所驾驭，它冲破了理性的桎梏，或者说，它置所有的理性而不顾。它听凭肉身的逻辑，或者说，听凭肉身的非逻辑，听凭身体内部力的起伏，听凭神经波的驱动，这些波有时候外溢，有时候收缩，有时候加速，有时候放慢，有时候超前，有时候滞后，它将整个身体推向了一个不可知的境地，直到它耗尽了全部，并将理性的外壳彻头彻尾地炸毁。这就是歇斯底里状态，这样一个身体，就是阿尔托意义上的“无器官的身体”（the body without organ）。这个无器官的身体，并不表示这些身体的器官不存在，而是表示身体的器官总是在随时改变，在力的驱动下，在神经波的穿越中，这些器官都遭到了扭曲和变形，它们发挥了另外的功能。我们看到，赵能智画面上人脸的器官，在力的驱动下错位了：在这些脑袋上，眼睛在叫喊，鼻子在啃咬，耳朵在观察，嘴巴则在悄无声息地倾听。（汪民安）

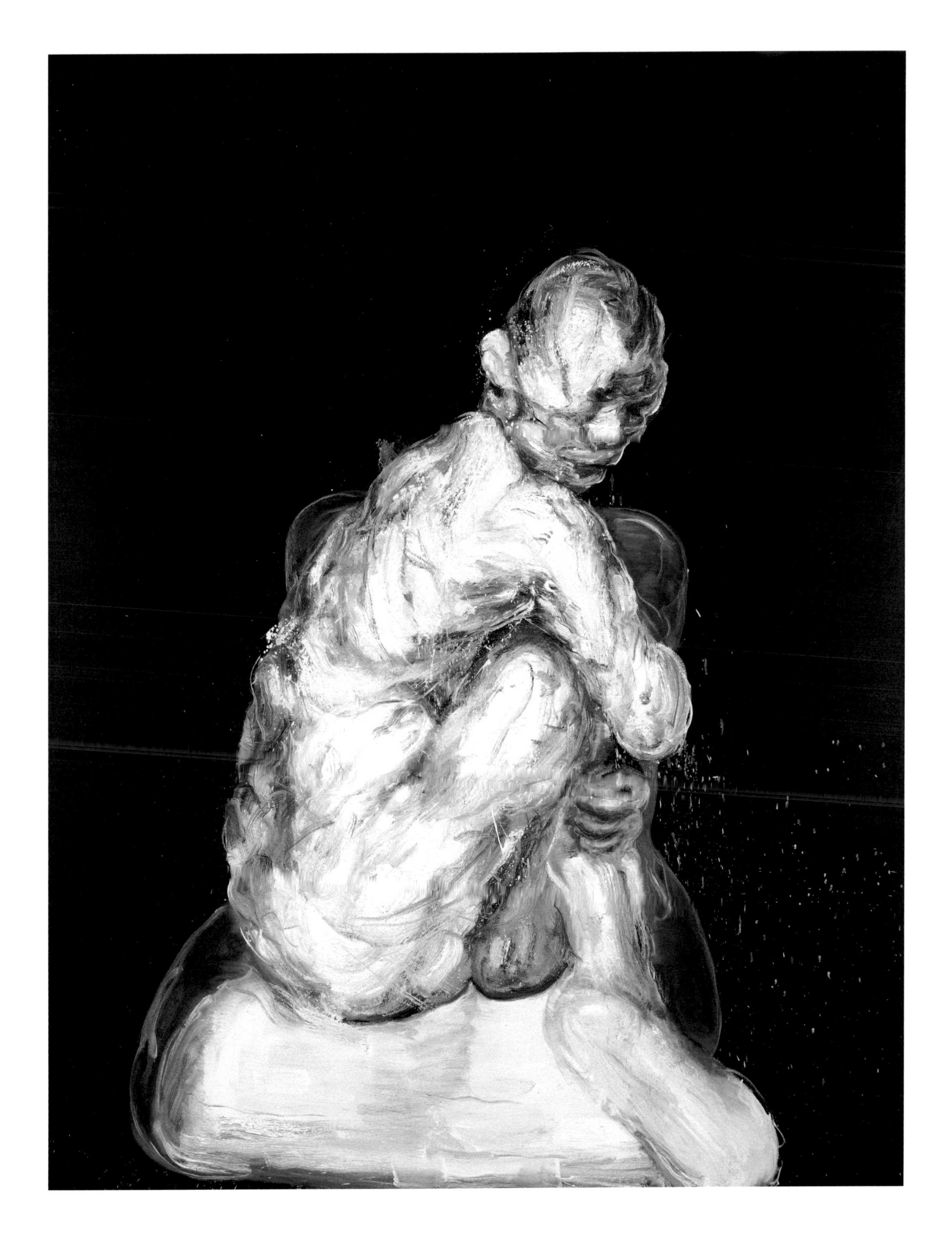

身体2010 No.2 Body：2010 No.2 230cm×180cm 布面油画 2010

身体2010 No.4 Body：2010 No.4 230cm×180cm 布面油画 2010

身体2010 No.6 Body：2010 No.6 230cm×180cm 布面油画 2010

钟飚

Zhong Biao

钟飙以他特有的时空观，致力于透过纷呈的世相，探询事物背后无处不在的机缘，以及机缘之下的历史大势，并用视觉的方式创造出这个时代新的图像记忆。

小世界 Small world　200cm×140cm　布面丙烯　2010

大梦 The Big Dream 280cm×600cm（三联） 布面丙烯 2010

周春芽

Zhou Chunya

周春芽被认为是中国最重要的画家之一。

画第一张《绿狗》的时候，给我的印象太深了。在画这个稿子时，我本来想的是画狗的本色——黑色，但画到中间起笔时，一般画黑色和黄色中间要有一点变化，要沾点绿色，我就想能不能把绿色画满，也会有黄色，但是以绿色为主，画完后我觉得有一个非常独特的效果，一下子眼睛一亮，我从色彩来看绿狗的感觉很奇特、很突兀。所以，我后来说：绿狗是一个意外的发现，不是有意识的事先想好了的；画狗也不是事先想好了的，而是我家里有一条狗，画画时它经常趴在那里看我画，因为那段时间我整个思想题材都是画身边的人和事物，后来改变画狗乃至画绿色的狗。

绿狗　Green Dog　250cm×200cm　布面油画　2003

绿人 Green Man 73cm × 60cm 布面油画 1998

爱之热恋 The Pasion of Love 73cm × 60cm 布面油画 1998

version 2.0
Home is in Your Head
COLLECTION
MATTHEWS
Absolute Sound

防空洞平面图

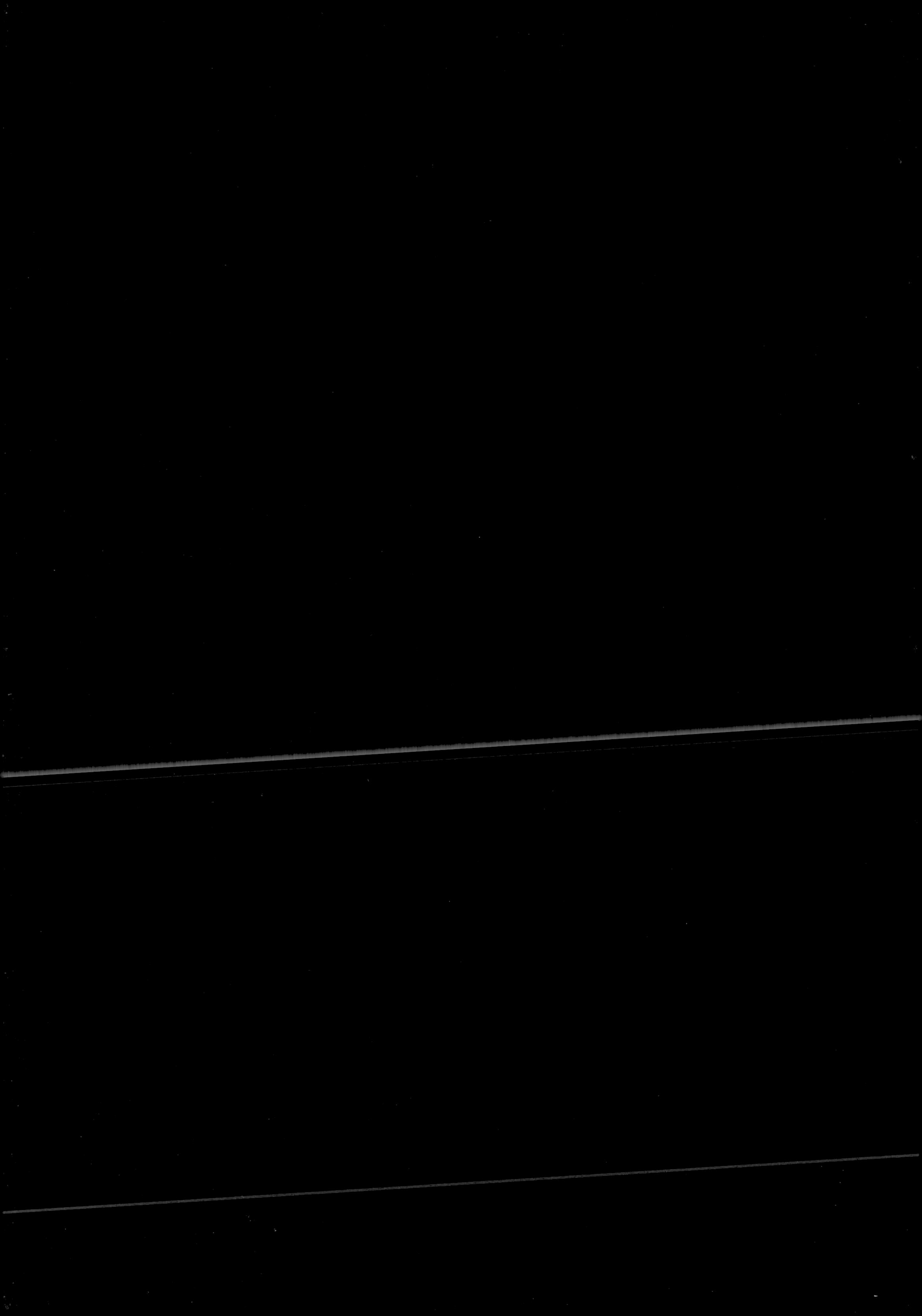

艺术家简历

[按姓氏拼音排列]

陈 家 刚

1962年出生
1984年毕业于重庆建筑学院建筑系
现工作、生活于北京

主要个展

2010 《陈家刚》 收藏展 巴塞尔
2009 《三线》 巴黎北京画廊 巴黎
2008 《大三线 陈家刚 作品展》 Edwynn Houk Gallery 纽约
2007 《病城》 中央美术学院美术馆 北京
2006 《三线——陈家刚作品展》 Atelier Werner Schaarmann 汉堡

主要群展

2010 《韩国大邱影像双年展2010》 大邱
2009 《闪闪红星》 李安姿当代空间 香港
2008 《ART北京2008》 巴黎北京画廊展位 中国农业展览馆新馆 北京
2007 《龙的变身》 Chinasquare画廊 纽约
2006 《始乱终弃——2006中国当代社会学图像》 798艺术区 北京

陈秋林

1975年生于湖北
2000年毕业于四川美术学院版画系
现工作生活于成都、北京

主要个展

2009 《陈秋林》 翰墨博物馆 洛杉矶
《陈秋林》 Max Protetch Gallery 纽约
2007 《陈秋林新作》 奥尔巴尼大学美术馆 奥尔巴尼大学 纽约
《花园》 Max Protetch Gallery 纽约
2006 《迁移》长征空间 北京

主要群展

2010 《我们之间的大陆》 惠特沃斯美术馆 曼彻斯特
2009 《第6届亚太当代艺术三年展（APT6）》 昆士兰美术馆 布里斯班
2009 《意派》 今日美术馆 北京
2008 《第七届光州双年展》 光州
2005 《墙：中国当代艺术二十年展》 中华世纪坛艺术馆 北京

陈文令

1969年生于福建泉州
先后毕业于厦门工艺美术学院和中央美术学院
现居北京

主要个展

2010 《悬案——陈文令2010新作展》 今日美术馆 北京
《你看到的是真实的——陈文令个展》 ODETOART画廊 新加坡
2009 《紧急出口——陈文令2009新作展》 卓越艺术 北京
2008 《物神——陈文令2008新作展》 亚洲艺术中心 北京
2007 《蜕变——陈文令个展》 井画廊 东京

主要群展

2010 《第二届今日文献展》 今日美术馆 北京
2009 《对话芝加哥——中国当代雕塑艺术》 芝加哥
2008 《第三届塞维利亚国际当代艺术双年展》 CAAC 塞维利亚
《釜山双年展——消费》 釜山现代艺术博物馆 釜山
《意大利威尼斯国际雕塑装置展》 丽都岛 威尼斯
2006 《超设计——上海双年展》 上海美术馆 上海
2005 《第二届中国艺术三年展》 南京艺术博物院 南京

崔岫闻

1996年毕业于中央美术学院第八届油画研修班
现工作、生活于北京

主要个展

2010 《神域——崔岫闻个展》 今日美术馆 北京
《真空妙有——崔岫闻个展》 大未来耿画廊 台湾
2007 《一刻钟——崔岫闻个展》 佛罗伦萨博物馆 佛罗伦萨
《天使——崔岫闻个展》 马蕊乐画廊 米兰
2006 《崔岫闻个展》 DF2画廊洛杉矶开幕展 洛杉矶

主要群展

2010 《改造历史——2000-2009年的中国新艺术》 国家会议中心 北京
2008 《我们的未来——尤伦斯收藏中国当代艺术展》 尤伦斯当代艺术中心 北京
2007 《今日文献展》 今日美术馆 北京
2006 《十三——今日中国影像》 纽约P.S.1当代艺术中心 纽约
2005 《第二届中国艺术三年展——未来考古学》 南京博物院 南京
2004 《无题—Cui Xiuwen、Julike Rudelius、Julia Loktev》 泰特现代美术馆 伦敦
2003 《那么中国呢？》 蓬皮杜文化艺术中心现代艺术馆 巴黎

方力钧

1963年生于河北邯郸
1989年毕业于中央美术学院版画系
现工作、生活于北京

主要个展

2010《方力钧》 今日美术馆 北京
2009《方力钧——时间线索》 广东美术馆 广州
《方力钧——海阔天空》 比利菲尔德美术馆 比利菲尔德
《生命之渺——方力钧创作25年展》《像野狗一样生活——1963~2008方力钧文献档案展》 台北市立美术馆
2007《方力钧版画展》 丹麦艺术中心 北京
《方力钧个人作品展》 上海美术馆 上海
2006《今日方力钧！》 今日美术馆 北京

主要群展

1994 《圣保罗双年展》 圣保罗
1993 《东方之路》 威尼斯双年展 威尼斯
1989 《中国现代艺术展》 中国美术馆 北京

俸正杰

1968年生于四川安岳

1992年毕业于四川美术学院美术教育系，获学士学位

1995年毕业于四川美术学院油画系，获硕士学位

现居北京

主要个展

2009 《俸正杰2008－2009》 余德耀美术馆 雅加达

2008 《意象死生》 当代唐人艺术中心 北京

《本色》 新加坡美术馆 新加坡

2007 《俸正杰作品展》 Tilton Gallery 纽约

2006 《俸正杰作品展》 东京画廊 东京

主要群展

2010 《南京双年展》 江苏省美术馆 南京

《改造历史——2000－2009年的中国新艺术》 国家会议中心 北京

《中国当代艺术三十年》 民生现代美术馆 上海

2009 《北京－哈瓦那：新中国当代艺术革命》 古巴国家美术馆 哈瓦那

2008 《革命在继续：中国新艺术》 萨奇画廊 伦敦

《我们的未来：尤伦斯基金会收藏展》 尤伦斯当代艺术中心 北京

俸正泉

1976年生于四川安岳
1999年毕业于四川美术学院
现生活、工作于北京

主要个展

2008 《俸正泉2008年作品展》 天画廊 北京
2007 《图像日记》 Willem Kerseboom Fine Art 阿姆斯特丹
2006 《闭月羞花》 Ming Art 台湾
2005 《我的山水》 泰康顶层空间 北京
2004 《另类景色》 精艺轩 香港

主要群展

2010 《书写——南京双年展》 江苏省美术馆 南京
《第二届今日文献展——调节器》 今日美术馆 北京
《楼上的青年——2010青年批评家提名展》 时代美术馆 北京
《改造历史——中国新艺术大展》 今日美术馆 北京
2009 《后历史——中国当代艺术展》 图尔城堡美术馆 法国

符　　曦

1993年毕业于四川美术学院油画系

1997年至今任四川大学副教授

主要个展

2006 《伤花灿烂》 斯民艺苑 新加坡

2007 《怒放》 K画廊 成都

主要群展

2007 《从西南出发——西南当代艺术展》 广东美术馆 广州

2008 《上海艺博会青年艺术家推介展》 获优秀艺术家奖 上海

2009 《首届重庆青年美术双年展》 重庆

《蓝顶艺术群落展》 北京

《她世界——国际当代新锐女艺术家展》 重庆

郭　晋

1964年生于四川成都

1990年毕业于四川美术学院油画系，并留校任教至今

主要个展

2010 《2008~2010作品展》 Moca 新加坡

2009 《孩子的游戏》 Gibsone Jessop 画廊 多伦多

2008 《浮现》 印尼国家博物馆 雅加达

2007 《从未变与正在变》 季风轩画廊 香港

2006 《动态和想象》 Serieuze Zaken画廊 阿姆斯特丹

主要群展

2010 《改造历史——2000—2009年的中国新艺术》 国家展览中心 北京

《书写——首届南京双年展》 江苏美术馆 南京

2007 《黑白灰——一种主动的文化选择》 今日美术馆 北京

2006 《入境——中国无章美学》 上海当代美术馆 上海

2002 《中国艺术三年展》 广州艺术博物馆 广州

郭　伟

1960年生于四川成都

1989年毕业于四川美术学院版画系

现居成都、北京

主要个展

2010 《制造》 当代唐人艺术中心 香港

2008 《郭伟个展》 当代唐人艺术中心 北京

2006 《房间里的云》 LOFT画廊 巴黎

2005 《网络笔记》个人展 现在画廊 北京

2004 《室内、蚊子与飞蛾》 LOFT画廊 巴塞罗那

主要群展

2010 《虎年的中国当代艺术》 国家文化交流中心 卢森堡

2009 《北京——哈瓦拉》 古巴国家美术馆 哈瓦拉

2008 《北京一雅典——来自中国的当代艺术展》 希腊国家当代艺术中心 雅典

2007 《黑白灰》 今日美术馆 北京

2006 《兄弟》 程昕东国际当代艺术空间 北京

郭 燕

1995年毕业于西安美术学院油画系，获学士学位
现工作、生活在成都

主要个展

2008 《紫托邦》 壹空间画廊 北京
2010 《菩提》 张江当代艺术馆 上海
2010 《树蝶》 恒庐美术馆 杭州

主要群展

2010 《都市心语——当代女性艺术家展》 成都
2009 《群落！群落！—— 2009第五届宋庄文化艺术节》 宋庄美术馆 北京
《近历史——法国图尔中国当代艺术双年展》 图尔城堡美术馆 图尔
《中国病人》 后世纪中国画廊 纽约
2008 《未来的天空》 中国美术馆 北京

何多苓

1948年生于四川成都
1982年毕业于四川美术学院油画系研究生班
现居成都

主要个展

2008 《何多苓2007新作展》 环碧堂画廊 北京
2006 《忧伤的诗歌》 中国美术馆 北京
《忧伤的诗歌》 上海美术馆 上海
《忧伤的诗歌》 四方当代美术馆 南京
1998 《何多苓》 山艺术馆 高雄
1994 《何多苓》 中国美术馆 北京
1988 《中国——现实主义的深层》 福冈美术馆 福冈

主要群展

2009 《威尼斯双年展外围展——给马可波罗的礼物》 威尼斯
2007 《中国名家肖像展》 中国美术馆 北京
2006 《中国写实主义油画研究展》 上海美术馆 上海
2005 《成都双年展》 成都现代艺术馆 成都
2003 《第三届中国油画展》 中国美术馆 北京
2000 《二十世纪中国油画展》 中国美术馆 北京
《二十世纪中国油画展》 上海美术馆 上海

何　工

1955年生于重庆

主要个展

2010　《放逐天堂——何工个人作品展》 上海
　　　《逆行——何工个人作品展》 成都

主要群展

2010　《格林伯格在中国当代艺术邀请展》 深圳
2009　《领升——2009中国批评家年会提名展》 北京
2008　《798艺术节主题展》 798 北京
2007　《中国后先锋艺术邀请展》 香港
2006　《穿越文化——高小华、徐芒耀、杨千、何工文献与作品展》 中国美术馆 北京
2000　《谷文达、陈丹青、何工三人展》 美国罗克斯维尔美术博物馆

何　森

1968年出生于云南
1989年毕业于四川美术学院
现工作、生活于北京

主要个展

2009 《何森版画展》 A Story画廊 釜山
2008 《来，一起吧》 Tilton画廊 纽约
《今晚你有空吗》 Frank Schlag & Cie画廊 埃森
2007 《此时彼刻》 现在画廊 北京
2004 《如影随形》 现在画廊 北京

主要群展

2008 《今日中国》 Belvue美术馆 布鲁塞尔
《亚洲方位——第三届南京三年展》 南京博物院 南京
2007 《从西南出发——西南当代艺术展1985-2007》 广东美术馆 广州
《黑白灰》 今日美术馆 北京
2006 《变异的图象——中国当代油画邀请展》 上海美术馆 上海
2005 《第二届布拉格双年展》 布拉格

何汶玦

1970年出生于中国湖南
现生活、工作在北京

主要个展

2008 《何汶玦——看电影2008》 别处空间 北京
《何汶玦个人作品展》 Frank Schlag画廊 埃森
2007 《何汶玦个人作品展》 多伦美术馆 上海
2006 《水——波光流影》 唐人当代艺术中心 曼谷
《水——Discovery》 圣东方艺术画廊 北京

主要群展

2008 《2008中国当代艺术展》 首尔
《第七届上海双年展》 上海美术馆 上海
2008 《奥林匹克美术大会》 国际展览中心 北京
2007 《浮游——中国当代艺术展》 韩国国家美术馆 首尔
2006 《中国当代艺术文献展》 世纪坛美术馆 北京
《今日中国美术大展》 中国美术馆 北京

黄　木

1991年毕业于中央美术学院民间美术系
现生活和工作于北京

主要群展

2008 《艺术魅力收藏》今日美术馆 北京
2008 《中国幻想》铸造画廊 北京
1999 《中国第九届全国美展》中国美术馆 北京
1991 《中国油画展》 香港
1986 《国际青年年中国青年美展》
1984 《中国第六届全国美展》 中国美术馆 北京

黄　莺

生于湖南

曾就读于北京电影学院和中央美术学院

现居北京

主要个展

2006 《绽放》 酒厂国际艺术园 北京

主要群展

2010 《2010影像档案展》 宋庄美术馆 北京

2009 《日内瓦国际艺术展》 瑞士

2008 《巴塞尔——迈阿密艺术博览会》 迈阿密

2007 《艳色记录——当代女性艺术家邀请展》 关山月美术馆 深圳

2006 《变异的图像——中国当代油画邀请展》 上海美术馆 上海

焦 兴 涛

1970年生于四川成都
1996年毕业于四川美术学院，获硕士学位
现任教于四川美术学院雕塑系

主要个展

2008 《Breaking The Waves》 Opera画廊 伦敦
2007 《咏物——焦兴涛雕塑作品展》 香港艺术中心 香港
《物语——焦兴涛雕塑作品展》 季节画廊 北京

主要群展

2009 《意派——世纪思维当代艺术展》 今日美术馆 北京
2008 《中国金——中国当代艺术展》 马约尔美术馆 法国
《南京三年展》 南京博物院 南京
2007 《从西南出发——西南当代艺术展1985—2007》 广东美术馆 广州
《浮游——中国艺术新一代》 韩国国立现代美术馆 首尔
《能量——精神、身体、物质》 今日美术馆 北京

李　强

生于1962年
1985年毕业于四川美术学院油画系
现为四川美术学院油画系教授

主要个展

2010 《李强个人作品展》 上海
2008 《壮美的梦想——李强个人作品展》 华氏画廊 上海
1994 《李强个人作品展》 芥子园艺术中心 台湾
1992 《李强个人作品展》 Scarab俱乐部 奥克兰 新西兰
1990 《李强个人作品展》 Press画廊 底特律

主要群展

2010 《香港艺术博览会》 香港
2009 《怀素抱朴——全国高等美术学院油画专业教师作品展》 杭州
2009 《在场三十年——四川美术学院当代油画展》 东京
2009 《第十一届全国美术作品展》 武汉
2008 《我和这座城市——成都当代油画邀请展》 成都
2008 《上海当代国际艺术博览会》 上海

李占洋

1969年生于吉林长春
1989-1994年就读于鲁迅美术学院雕塑系
1997-1999年就读于中央美术学院雕塑系，同等学历硕士研究生
现任教于四川美术学院雕塑系

主要个展

1998 《个人展览》 中央美术学院通道画廊 北京

主要群展

2008 《人民——20世纪中国美术展》 中央美术学院美术馆 北京
《麻将——希克中国现代艺术收藏展》 加利福尼亚大学 伯克利美术馆 太平洋电影文献馆 伯克利
《RED HOT——Asian Art Today from the Chaney Family Collection》 休士顿美术馆 休士顿
2009 《意派——世纪思维》 今日美术馆 北京
2010 《事物状态——中比当代艺术交流展》 中国美术馆 北京
《改造历史——2000—2009年的中国新艺术》 国家会议中心 北京

刘　虹

1986年研究生毕业于四川美术学院油画专业,同年留校任教
1993年于德国卡塞尔大学艺术学院学习
2009年调中国艺术研究院艺术创作中心

主要个展

2009 《丽色唇语——刘虹个展》 新加坡

主要群展

2010 《改造历史》 北京
2008 《深度呼吸——中国当代艺术的十几个样本》 上海
《人民.历史——20世纪中国美术研究展》 北京
2007 《从西南出发——西南当代艺术展》 广州
《融合与创造——中国油画名家学术邀请展》 北京

罗发辉

1961年生于重庆

1985年毕业于四川美术学院油画系

现居成都、北京

主要个展

2010 《如果不是这祥——中国项目计划罗发辉》 575萨特画廊 旧金山

2008 《仙境》 马德里

2007 《悬浮的欲望》 张江当代艺术馆 上海

2005 《欲望的深度》 上海美术馆 上海

1993 《罗发辉油画展》 中国美术馆 北京

主要群展

2010 《日本东京都美术馆第36届AJAC展》 日本东京都美术馆 东京

2009 《纽约亚洲当代艺术博览会》 纽约

2008 《中国新视觉——上海美术馆藏中国当代艺术展》 拉斯佩齐亚美术馆 意大利

2007 《赤山水绿水》 中德艺术家作品巡回展 吕贝克美术馆 德国

2006 《艺术迈阿密》 迈阿密

罗 敏

1968年生于四川泸州

毕业于西南师范大学美术系、解放军艺术学院硕士

现任成都军区创作室专业画家

主要群展

2010 《中国青年写实艺术大展》 时代美术馆 北京

《油画艺术与当代社会——中国油画展》 中国美术馆 北京

《东形西式——上海四川油画作品交流展》 成都/上海

《具象研究——重回经典》 时代美术馆 北京

《研究与超越——第二届中国小幅油画展》 中国美术馆 北京

《第36届日本横滨国际海外艺术家邀请展》 横滨美术馆 横滨

2009 《生：纪念——种》 上海索美画廊 上海

《789双年展——绿色时空特展》 北京

《第11届全国美展》 武汉

《她世界——2009国际当代新锐女艺术家邀请展》 重庆江山美术馆

《灵感高原——中国美术作品展》 中国美术馆 北京

罗中立

1948年出生于重庆
1981年毕业于四川美术学院油画系
现任四川美术学院院长、中国美术家协会副主席

主要个展

2005 《罗中立小幅油画展》 上海美术馆 上海
1997 《罗中立个人画展》 悉尼美术馆 悉尼
1995 《罗中立个人画展》 国家历史博物馆 布鲁塞尔
1994 《罗中立个人画展》 中国美术馆 北京
1989 《罗中立个人画展》 芝加哥艺术中心 芝加哥
1985 《罗中立个人作品展》 哈佛大学 波士顿

主要群展

2006 《精神与品格》 中国美术馆 北京 / 上海美术馆 上海
2003 《北京双年展》 中国美术馆 北京
2001 《中国现代绘画艺术展》 巴西圣保罗
2000 《20世纪中国油画展》 中国美术馆 北京 / 上海美术馆 上海
1997 《中国上下五千年艺术展》 中国美术馆 北京 / 古根汉姆美术馆 纽约
1997 《中国油画肖像艺术百年》 中国美术馆 北京

庞茂琨

1963年生于重庆

1985年毕业于四川美术学院油画系

现为四川美术学院油画系教授

主要个展

2010 《今日之神话——庞茂琨个展》 上海美术馆 上海

2009 《迷恋·古典——庞茂琨作品展》 林正艺术空间 北京

1998 《古典与现代的映象——庞茂琨油画作品展》 山美术馆 高雄

1997 《虚无中的呼吸——庞茂琨作品展》 四川美术学院美术馆 重庆

1990 《庞茂琨油画展》 九龙会 香港

主要群展

2010 《南京双年展》 江苏省美术馆 南京

2009 《中国写实画派五周年特展》 中国美术馆 北京

《中国写实画派五周年特展》 湖北省美术馆 武汉

2008 《写实画派2008年展》 中国美术馆 北京

2007 《从西南出发——当代艺术邀请展》 广东省美术馆 广州

2006 《入境——中国美学文献展》 上海当代艺术馆 上海

秦　明

1982年毕业于四川美术学院油画系
1982—1984年就读于中央美术学院油画系
1984—1986年任教于四川美术学院油画系
1993—1995年任教于加拿大多伦多希尔顿大学美术学院
现生活、工作于北京和多伦多

主要个展

1994 《秦明肖像展》 施奈德画廊 多伦多

主要群展

2010 《乐活汉字创意展》 今日美术馆 北京
2009 《经验——惊艳》 中国当代艺术展 北京
2009 《来自四川的艺术》 密尔顿画廊 伦敦
2008 《汇聚与自持——中国当代艺术展》 高雄
2007 《传承与超越——四川画派三十年》 中外博艺画廊 北京

苏 钶

1987年生于四川
2006年就读于首都师范大学
现居北京

主要群展

2009 《摆摊》 尚堡美术馆 北京
《嬲·计划》 长虹影院 北京
《不确定的可能性》 宋庄美术馆 北京

苏新平

1960年生于内蒙古

1983年毕业于天津美术学院绘画系

1989年毕业于中央美术学院版画系　获硕士学位

现任中央美术学院造型学院院长、教授

主要个展

2009 《北京风景》　美国亚洲文化学院　华盛顿/上海

2008 《干杯——苏新平作品（2005-2008）》　何香凝美术馆　深圳

2007 《风景——苏新平油画作品展》　今日美术馆　北京

2005 《苏新平肖像作品展》　中国美术馆　北京

《苏新平版画作品展》　美国亚洲艺术协会　丹佛

2001 《苏新平石版画展》　岭南美术馆　广州

主要群展

2009 《意派——世纪思维》　今日美术馆　北京

2008 《快城快客——第七届上海双年展》　上海美术馆　上海

2006 《今日中国美术大展》　中国美术馆　北京

《第一届中国当代版画学术展》　今日美术馆　北京

2002 《首届中国艺术三年展》　广州美术馆　广州

《首届中国北京国际美术双年展》　中国美术馆　北京

1998 《政治波普——中国当代艺术展》　MAX PROTETCH画廊　纽约

1989 《中国现代艺术展》　中国美术馆　北京

隋建国

1956年生于山东省青岛市
现工作生活于北京

主要个展

2010 《隋建国的中国制造》 Art Issue Projects 北京
2009 《运动的张力——隋建国新作展》 今日美术馆 北京
2008 《公共化的个人痕迹》 卓越空间 北京
2007 《大提速——隋建国空间影像作品展》 阿拉里奥 北京
2005 《隋建国——理性的沉睡》 亚洲美术馆 旧金山

主要群展

2010 《调节器——第二届今日文献展》 今日美术馆 北京
《北京—哈瓦那——新中国当代艺术革命》 古巴国家美术馆 哈瓦那
2008 《亚洲——第三届南京三年展》 南京博物院 南京
2007 《能量——身体 物质 精神》 今日文献展 今日美术馆 北京
2006 《麻将——乌力·希克中国当代艺术收藏》 瑞士 德国
2003 《当代艺术三年展——海》 奥斯腾德当代美术馆 比利时
2002 《首届广州当代艺术三年展》 广东美术馆 广州

屠宏涛

1976年出生于四川成都
1999年毕业于中国美院油画系
现工作生活于成都、北京

主要个展

2008 《幻觉乐园》 玛吉画廊 马德里
《迷局》 中国当代画廊 纽约
《交织》 索卡当代空间 北京
《探索》 Olyvia Oriental画廊 伦敦

主要群展

2010 《改造历史》 中国国际会议中心 北京
2009 《布拉格双年展——中国盒子》 布拉格
《思想>手感?》 今日美术馆 北京
2007 《从西南出发》 广东美术馆 广州
2006 《变异的图像——中国当代油画邀请展》 上海美术馆 上海

汪建伟

1958年生于四川
1987年毕业于浙江美术学院油画系，获硕士学位
现生活和工作于北京

主要个展

2010 《征兆》 瑞士Nyon
2009 《时间　剧场　展览》 今日美术馆 北京
2008 《人质》 上海证大美术馆 上海
2007 《三岔口》 CHAMBERS FINE ART 纽约
2006 ARARIO画廊，北京
外滩3号沪申画廊，上海

主要群展

2008 《面对现实》 中国美术馆
《面对现实》 奥地利维也纳现代艺术美术馆
2004 《现代中国》 现代艺术博物馆（MOMA） 纽约
2003 《第50届威尼斯双年展》 威尼斯
《巴黎秋季戏剧节》 巴黎蓬皮杜艺术中心
2002 《第25届圣保罗双年展》 巴西圣保罗双年展馆
2001 《行为的传译》 柏林世界艺术宫
《行为的传译》 美国纽约皇后博物馆
1997 《第十届文献展》 卡塞尔

王　川

1953年生于四川成都
1982年毕业于四川美术学院中国画系
现工作、生活于北京

主要个展

2010 《王川纸上水墨作品》 Babu画廊 深圳
《逍遥与边缘——王川个展》 偏锋新艺术空间 北京
2006 《中国抽象油彩——王川油画作品》 朱屺瞻艺术馆 上海
2001 《生命的痕迹——王川艺术回顾展》 何香凝美术馆 深圳
1990 《王川水墨个展》 汉雅轩画廊 纽约
1988 《王川水墨个展》 中国美术馆 北京

主要群展

2010 《重构——中国当代抽象艺术TOP展》 今日美术馆/杭州美术馆 北京/杭州
《中国当代艺术三十年历程1979-2009》 民生现代美术馆 上海
2009 《意派·世纪思维》 今日美术馆 北京
2008 《气韵——中国抽象艺术国际巡回展》 中国广场艺术空间 纽约
2000 《中国水墨实验二十年》 广东美术馆 广州
1989 《中国现代艺术展》 中国美术馆 北京

王广义

1957年生于哈尔滨市
1984年毕业于中国美术学院
现工作、生活于北京

主要个展

2008 《冷战美学——王广义》 路易斯·布罗恩基金会 伦敦
2008 《视觉政治学——另一个王广义》 何香凝美术馆 深圳
2007 《王广义个展》 吕佩克画廊 巴黎
2006 《王广义个展》 阿拉里奥画廊 首尔
2004 《王广义个展》 乌斯麦勒画廊 卢塞恩
2003 《王广义个展》 诺瓦拉画廊 巴黎

主要群展

2010 《中国当代艺术三十年历程·绘画篇（1979-2009）》 民生现代美术馆 上海
2009 《第53届威尼斯双年展外围展——给马可波罗的礼物》 威尼斯
2003 《中国，你好？》 蓬皮杜艺术中心 巴黎
1994 《第22届圣保罗双年展》 圣保罗
1993 《第45届威尼斯双年展》 威尼斯
1989 《中国现代艺术大展》 中国美术馆 北京

王国锋

1967年生于辽宁
1991年毕业于内蒙古师范大学
现工作、生活于北京

主要个展

2010 《王国锋个展》 604画廊 釜山

主要群展

2010 《调节器——2010第二届今日文献展》 今日美术馆 北京
《中国和日本的当代美术》 釜山市立美术馆 釜山
2009 《与德国杜塞尔多夫剧院合作制作舞台空间装置作品》 杜塞尔多夫剧院
2008 《第三届南京国际艺术三年展》 南京博物院 南京
2007 《第二届莫斯科双年展》 莫斯科 俄罗斯
2006 《第六届上海双年展》 上海美术馆 上海

王鲁炎

1956年生于北京
现生活、工作于北京

主要个展

2010 《王鲁炎》 整体美术馆 首尔
2009 《王鲁炎》 604画廊 釜山
2008 《王鲁炎: 整体的背面》 卓越艺术 北京
2007 《被锯的锯?》 阿拉里奥北京 北京
《被锯的锯?》 何香凝美术馆 OCT当代艺术中心 深圳

主要群展

2010 《2010釜山双年展——中日韩特别展 Now, Asian Art》 釜山
2009 《意派——世纪思维》 今日美术馆 北京
2007 《85新潮——中国第一次当代艺术运动》 尤伦斯当代艺术中心 北京
1993 《沉默的能量——来自中国的新艺术》 牛津现代艺术博物馆 牛津
1991 《中国前卫艺术家展——非常口》“新刻度小组作品1” 福岗
1989 《中国现代艺术展》 中国美术馆 北京
1979 《星星画展》首展 中国美术馆外 北京

王小慧

二十年前赴德国，生活在慕尼黑和上海。她在世界许多美术馆等机构举办过大量艺术展，其中大多为个展。在国内外出版过约四十部个人作品集和书籍。作品屡次获各种国际奖项，并为许多机构及私人收藏。近年她被母校同济大学聘为教授并创建了“同济新媒体艺术国际中心”和“王小慧艺术中心”，还成功地主持了一些具有影响的中外文化交流活动。她曾获瑞士圣·莫瑞兹大师艺术节“明星艺术家”、德国BFF荣誉会员和杰出艺术家、SMG年度艺术家等奖项并被香港《凤凰周刊》评为“影响世界未来华人榜”五十位人物之一。

王 轶 琼

1961年3月生于江苏
1990年毕业于中央美术学院版画系
现生活、工作于北京

主要个展

2008 《疑精——王轶琼作品展》 OV画廊 上海
2007 《静园——王轶琼图像作品展》 798 北京

主要群展

2008 《没有你，没有我——2007春季联展》 TS1 北京
《实践的力量——中国当代版画文献展》 南京博物院 南京
2007 《革命——当代艺术展》 中国广场 纽约
《浮游——中国艺术新一代》 韩国国家美术馆
《龙的变身——中国当代摄影图片展》 纽约

王 智 远

1958年出生于天津
目前生活和工作于北京

主要群展

2010 《调节器——第二届今日文献展》 今日美术馆 北京
《大爆炸》 白兔中国当代艺术馆 悉尼 澳大利亚
2009 《北京时间——中国当代艺术最前沿》 马德里 圣地亚哥 西班牙
2008 《西成东就——知识分子的美学语境》 圣之空间 北京
《惊喜的发现——上海艺术博览会国际当代艺术展》 上海展览中心 上海
2006 《生活用具》 釜山双年展 韩国
《虚拟的爱》 上海当代艺术馆 上海
2005 《落地现实——中国当代新艺术》 首尔艺术中心 韩国
《上海酷——创意再生产》 上海多伦现代艺术馆 上海
《亚洲交通》 今日美术馆 北京 / 证大艺术馆 上海

武明中

1963年生于河北涿鹿

1988年毕业于河北师范学院美术系

1997年毕业于首都师范大学美术系，获硕士学位

现任首都师范大学美术学院副教授

主要个展

2009 《虚假的真实——武明中个展》 今日美术馆 北京

2007 《嗨，小心！——武明中个展》 程昕东国际艺术空间 北京

主要群展

2010 《调节器——第二届今日文献展》 今日美术馆 北京

2009 《历史的图像——中国当代艺术邀请展》 深圳美术馆 北京

《讲·述——2009海峡两岸当代艺术展》 台北美术馆 台北

《讲·述——2009海峡两岸当代艺术展》 中国美术馆 北京

2008 《快城快客——第七届上海双年展》 上海美术馆 上海

《第三届西班牙塞利维亚双年展》 塞利维亚

向　京

1968年生于北京

1995年毕业于中央美术学院雕塑系

现工作、生活于北京

主要个展

2008 《全裸——向京2006-2007作品亚洲巡展》 唐人画廊 北京

《全裸——向京2006-2007作品亚洲巡展》 唐人画廊 香港

《全裸——向京2006-2007作品亚洲巡展》 唐人画廊 曼谷

2007 《一百个人演奏你？还是一个人？》 诚品画廊 台北

2006 《你的身体——向京作品2000-2005》 上海美术馆 上海

2005 《保持沉默——向京作品2003-2005》 季节画廊 北京

2000 《镜子里的女人》 欧洲艺术中心 厦门

主要群展

2010 《改造历史——2000-2009年的中国新艺术》 国家会议中心 北京

2009 《镜花水月——中国当代女性艺术展》 欧洲当代艺术中心 比利时

2008 《革命在继续——中国新艺术》 萨奇美术馆 伦敦

《人民·中国——20世纪中国美术中的人本主义》 中央美术学院美术馆 北京

2007 《2007年首届今日文献展》 今日美术馆 北京

2006 《独白——中国印度尼西亚当代雕塑展》 印度尼西亚国家美术馆 雅加达

熊　宇

1975年生于四川成都
1999年毕业于四川美术学院油画系
2002年获四川美术学院油画系硕士学位
现任教于四川大学艺术学院

主要个展

2009 《Angel in City——熊宇个人作品展》 偏锋新艺术空间 北京
《影子城堡——熊宇个人作品展》 四川大学美术馆 成都
2008 《塔罗——熊宇个人作品展》 环碧堂画廊 北京
2006 《安静的流逝——熊宇个人作品展》 环碧堂画廊 北京
2004 《温暖的翅膀——熊宇个人作品展》 炎黄艺术馆 北京

主要群展

2010 《中国当代艺术三十年历程》 民生美术馆 上海
2009 《大千世界——中国当代艺术近作展》 芝加哥艺术中心 芝加哥
《哈瓦那双年展》 古巴
2008 《中国:建构与解构——中国当代艺术邀请展》 巴西圣保罗国家美术馆 圣保罗
2007 《CHINABLUE IN BERLIN——中国当代油画展》 德国柏林艺术中心 德国

徐　冰

1955年生于重庆

1981年毕业于中央美术学院版画系并留校任教

1987年获中央美术学院硕士学位

1990年移居美国

2007年回国任中央美术学院副院长，教授，博导

作品曾在纽约大都会博物馆、伦敦大英博物馆、法国卢浮宫博物馆、纽约现代美术馆、西班牙索菲亚女王国家美术馆、美国华盛顿赛克勒国家美术馆、捷克国家美术馆、德国路维希美术馆等艺术机构展出；曾参加威尼斯双年展、悉尼双年展、圣保罗双年展等国际展。

作品进入：美国1997年版世界艺术史教科书《过去的艺术和现在的艺术》(Art Past – Art Present)(Prentice Hall, Abrams 出版社)，美国及欧洲权威世界艺术史教科书《古今艺术》(Gardner's Art Through the Ages)。

2001年美国史密森学会出版《徐冰的艺术》（Brita Erickson著）。

2006年美国普林斯顿大学出版社出版《持续性/转型—以文字为图像：徐冰的艺术》，人民大学出版社出版《徐冰：烟草计划》（巫鸿编著）。

2009年英国伯纳德.夸里奇有限公司（Bernard Quaritch Ltd and contributors）出版《创作天书的道路》(Tianshu: Passages in the Making of a Book)(约翰 凯利等 著)。

1989年获得中国国家教委霍英东教育基金会，高校青年教师教学一等奖。

1999年由于他的“原创性、创造能力、个人方向和对社会，尤其在版画和书法领域中作出重要贡献的能力”获得美国最重要的个人成就奖，麦克阿瑟“天才奖” (MacArthur Award)。

2003年“由于对亚洲文化的发展所做的贡献”获得第十四届日本福冈亚洲文化奖。

2004年获得首届威尔士国际视觉艺术奖(Artes Mundi) 评委会主席奥奎（ Okwui Enwezor ）在授奖辞中说：“徐冰是一位能够超越文化界线，将东西方文化相互转换，用视觉语言表达他的思想和现实问题的艺术家。”

2006年由于“对文字、语言和书籍溶智的使用，对版画与当代艺术这两个领域间的对话和沟通所产生的巨大影响”获全美版画家协会“版画艺术终身成就奖”。被《美国艺术》杂志评为15名国际艺术界年度最受注目人物之一(2004 People in Review)。2010年被美国哥伦比亚大学授予人文学荣誉博士学位。

许 仲 敏

1961年生于四川绵阳
1987年毕业于四川美术学院版画系
现工作、生活于北京

主要个展

2005 《个展》 “Albemarle”画廊 伦敦
2004 《梦幻城市——个人作品展》 U 画廊 大阪现代艺术中心 大阪
2001 《个人画展》 十月画廊 伦敦
《个人画展》 瑞德芬画廊 伦敦
1999 《个人画展》 挂好画廊 伦敦

主要群展

2010 《调节器——第二届今日文献展》 今日美术馆 北京
2009 《中国——当代再生》 内利宫 (palazzo reale) 米兰
2008 《亚洲艺术节》 纽约
《乌托邦——边界》 今日美术馆 北京
2007 《浮游——中国艺术新一代》 韩国国立现代美术馆 首尔
《潜流——新亚洲艺术浪潮》 ZKM 美术馆 卡尔斯鲁厄

颜石林

1982年生于湖南长沙
2007年毕业于湖北美术学院雕塑系
现居北京

主要个展

2010 《今夜无眠——颜石林作品》 玉兰堂画廊 北京

主要群展

2009 《Green当代艺术展》 中国国际贸易中心 北京
《动漫百相续展》 林大画廊 尼西亚
《独生一代——重庆艺术节》 重庆
2008 《动漫百相》 林大艺术中心 北京
《源》 月亮河美术馆 北京

杨黎明

1975年生于四川
1999年毕业于四川师范大学艺术学院油画专业
现居住、工作在北京

主要个展

2010 《由里而外——杨黎明油画个展》 F2画廊 北京
2008 《从现实出走之后——杨黎明艺术展》 艺・凯旋艺术空间 北京
2006 《空间——流韵2003—2005杨黎明油画个展》 ChinaToday Gallery 比利时
2006 《空间——流韵 2005—2006杨黎明油画个展》 家画廊 台湾
2003 《空间——空间 2001—2003杨黎明油画个展》 海上山艺术中心 上海

主要联展

2010 《调节器——第二届今日文献展》 今日美术馆 北京
2009 《中国美术批评家提名展》 宋庄当代艺术馆 北京
2008 《未来天空——青年艺术家提名展》 今日美术馆 北京
2007 《当代艺术与古董博览会》 布鲁塞尔 比利时
2006 《2006墨尔本艺术节》 墨尔本

杨 冕

1970年生于四川成都

1997年毕业于四川美术学院油画系

现工作、生活在北京，成都

主要个展

2008 《姿态》 今日美术馆 北京

《从标准到经典》 modernism画廊 旧金山

《那些经典》 林大画廊 新加坡

2007 《那些经典》 张江当代艺术馆 上海

《美丽“标准”》 M. Sutherland Fine Arts' Ltd 纽约

主要群展

2008 《亚洲 南京三年展》 南京博物院 南京

《川流》 印度尼西亚国家博物馆 印度尼西亚

2007 《中国在纽约》 纽约歌剧院画廊 纽约

《北京新风》 光州市立美术馆 光州

2006 《中国制造》 伦敦歌剧院画廊 伦敦

《赤裸真相》 曼谷唐人画廊 曼谷

杨　千

1959年生于四川成都
1982年毕业于四川美术学院油画系
现生活和工作于北京

主要个展

2010 《艺术有毒——杨千装置作品展》 白盒子艺术馆 北京
《纸碎今迷——杨千个展》 苏州美术馆 苏州
2009 《媒体制造——杨千个展》 张江当代艺术馆 上海
《超常——杨千新作展》 今日美术馆 北京
2008 《绘画之后的绘画——杨千新作展》 伦敦
2007 《重叠——杨千新作展》 上海证大现代美术馆 上海

主要联展

2010 《调节器——第二届今日文献展》 今日美术馆 北京
2009 《新艺术革命——中国当代艺术在古巴》 古巴国家美术馆 哈瓦那
2008 《消耗——韩国釜山双年展》 釜山现代艺术馆 釜山
《亚洲方位——第三届南京三年展》 南京博物院 南京
2008 《你的宇宙——第三届西班牙塞维利亚双年展》 塞维利亚
2007 《能量——2007年首届今日文献展》 今日美术馆 北京

杨 述

1965年生于重庆

1988年毕业于四川美术学院油画系

现工作、生活在重庆

主要个展

2010 《我不喜欢你》 re-C(廊桥)艺术空间 成都

2009 《Satyagraha——truth in rebellion》 Gibsone jessop 画廊 多伦多

《snake,brain mask》 TMproject 画廊 日内瓦

2008 《未知的快感》 张江当代艺术馆 上海

2007 《我的苹果》 上海美术馆 上海

主要联展

2010 《抽象与趣玩》 文轩公司 成都

2009 《花好月圆》 余德耀美术馆 雅加达

2008 《艺术慈善中国——2008中国当代艺术国际巡回展》 中央美术学院美术馆 北京

2007 《从西南出发——西南当代艺术展1985—2007》 广东美术馆 广州

1989 《中国现代艺术大展》 中国美术馆 北京

叶永青

1958年生于昆明

1982年毕业于四川美术学院绘画系油画专业

现为中国当代艺术院艺术总监，四川美术学院教授

主要个展

2009 《叶永青》 Gallery J.Chen 台北
　　《像不像——叶永青个展》 现在画廊 北京
2008 《迷涂症——叶永青艺术之旅》 香港艺术中心 香港
　　《画鸟——矛盾与现实》 纽约中国广场 纽约
2007 《画个鸟！》 方音空间 北京
　　《一只忧伤的鸟》 阿特塞帝画廊 首尔

主要联展

2010 《改造历史——2000-2009的中国新艺术》 国家会议中心 北京
　　《中国当代艺术30年历程》 民生美术馆 上海
2009 《布拉格双年展》 布拉格
2007 《从西南出发——当代艺术展》 广东美术馆 广州
2005 《未来考古学——中国艺术三年展》 南京博物院 南京
1989 《现代艺术大展》 中国美术馆 北京

余　极

1965年生于成都邛崃。

1992年毕业于四川美术学院，获学士学位。

现居北京和成都

主要个展

2009 《白色马——余极影像作品展》千高原艺术空间 成都

《动物后背挠痒挠不到的地方——余极个展》 比翼艺术中心 上海

2007 《如烟云矣——余极个展》 喀斯孛画廊 阿姆斯特丹

2006 《余极个展——余极OEM影像计划：我弟弟的第一次电影练习》 2577创意大院 上海

主要群展

2011 《行为艺术中国文献——1985-2010》 宋庄美术馆 北京

2009 《起点:介入艺术生活366天——2008年1月1日-12月31日生长与变化》 证大现代艺术馆 上海

2007 《第三届连州国际摄影年展:影子的炼金术》 连州 广东

《棱镜——中国新媒体艺术展》 奥地利政府总理画廊 维也纳

喻晓峰

1980年生于重庆
2003年毕业于四川美术学院版画系，同年起任教于云南师范大学艺术学院
现工作、生活于北京

主要群展

2010 《不确定的可能性——798及周边艺术群落青年作品展》 宋庄美术馆 北京
2009 《同行——德中当代艺术展》 武汉美术馆 武汉
2008 《四川美术学院新生代联盟展》 博艺美术馆 杭州
2007 《2002—2007长征五周年回顾展》 北京
2006 《第18届国际版画交流展》 宏益大学美术学院 韩国

岳敏君

1962年出生于黑龙江大庆

1989年毕业于河北师范大学美术系

现生活、工作于北京

主要个展

2009 《公元3009之考古发现》 今日美术馆 北京

2007 《岳敏君——标志性笑容》 昆斯美术馆 纽约

《岳敏君——寻找艺术》 北京公社 北京

《岳敏君——我爱大笑》 亚洲协会 纽约

2006 《复制的偶像——岳敏君作品2004—2006》 何香凝美术馆 深圳

主要群展

2010 《改造历史——2000—2009年的中国新艺术》 国家会议中心 北京

2009 《给马可波罗的礼物——第53届威尼斯国际艺术双年展特别机构邀请展》 威尼斯国际大学

2008 《半生一梦——洛根当代中国艺术收藏展》 旧金山现代美术馆 旧金山

2007 《红色热潮——Chaney家族亚洲当代艺术收藏展》 休斯敦美术馆 休斯敦

2001 《新形象——中国当代绘画艺术二十年》 中国美术馆 北京

《新形象——中国当代绘画艺术二十年》 上海美术馆 上海

《新形象——中国当代绘画艺术二十年》 广东省美术馆 深圳

1999 《开放的边界——第48届威尼斯双年展》 威尼斯

曾　妮

生于重庆

2001年广州美术学院油画系硕士毕业

现任教于四川大学艺术学院

主要群展

2010 《川流——成都当代艺术家邀请展》 旧金山亚洲艺术中心 旧金山

《她视界——国际新锐女性艺术展》 江山美术馆 重庆

2009 《宋庄艺术节——成都蓝顶艺术群落展》 宋庄 北京

《偶然相遇——中法艺术交流展》 四川大学美术馆 成都

2007 《融合与创造-中国油画名家学术邀请展》 首都博物馆 北京

展　望

1962年生于北京

1988年毕业于中央美术学院雕塑系

1996年毕业于中央美术学院雕塑系研究生班

主要个展

2010 《素园造石机——一小时等于一亿年》 今日美术馆 北京

2008 《园林乌托邦》 中国美术馆 北京

《点石成金》 亚洲美术博物馆 旧金山

2006 《都市山水——北京》 威廉姆斯学院博物馆 美国

2004 《珠峰计划——极点》 珠穆朗玛峰８８４８处 西藏

2001 《进与出——浮石计划(首次赴西方制作浮石)》 哥德堡 瑞典

《镶长城——用两百多块不锈钢镀金砖镶了一段城墙》 八达岭残长城 北京

主要群展

2010 《改造历史——2000-2009年的中国新艺术》 国家会议中心 北京

2007 《能量——身体 物质 精神 首届今日文献展》 今日美术馆 北京

2006 《超设计——上海双年展》 上海美术馆 上海

2003 《第50届威尼斯双年展中国馆》 广东美术馆 广州

《第50届威尼斯双年展中国馆》 中央美院美术馆巡回 北京

张奇开

1950年出生于四川射洪
1987年留学日本
1990年移居德国
现任教于四川美术学院

主要个展

2009 《个展》 上海顶层画廊 上海
2008 《伦敦个展》 马保罗（Marlborough）画廊 伦敦
2000 《重庆个展》 四川美术学院美术馆 重庆
1998 《东京个展》 东京圆美术馆 东京
1997 《法兰克福个展》 克伦画廊 法兰克福
《柏林个展》 德中文化交流协会 柏林

主要群展

2006 《中国入境美学——上海当代艺术馆双年展》 上海当代艺术馆 上海
1997 《中国艺术大展》 上海美术馆 上海
1996 《来自边缘的艺术——德国卡塞尔国际邀请展》 卡塞尔文献展美术馆 卡塞尔
1988 《日本第十五回国际现代美术家协会展》 获国际艺术大奖

张 小 涛

1970年生于重庆合川

1996年毕业于四川美术学院油画系

现任教于四川美术学院多媒体工作室

主要个展

2010 《流行病毒学》 广东美术馆 广州

《微观叙事》 伊比利亚当代艺术中心 北京

2007 《重生》 北京大学赛克勒考古与艺术博物馆 北京

《无止境的欲望》 Dolores de Sierra画廊 马德里

2006 《美丽的混杂》 何香凝美术馆 深圳

主要群展

2010 《大爆炸》 白兔美术馆 悉尼

2009 《北京时间》 亚洲之家艺术中心 马德里

《心造——中国当代建筑前沿展》 布鲁塞尔国际建筑与都市中心 比利时

2008 《亚洲方位——第三届南京三年展》 南京博物院 南京

《人民・历史——20世纪中国艺术研究展》 中央美术学院陈列馆 北京

张晓刚

1958年出生于云南昆明
1982年毕业于四川美术学院
现生活、工作于北京

主要个展

2010 《16:9——张晓刚个展》 今日美术馆 北京
2009 《张晓刚——灵魂上的影子》 昆士兰美术馆 昆士兰
《史记》 佩斯北京 北京
2008 《中国绘画——张晓刚》 鲁道夫美术馆 布拉格
《修正》 佩斯威尔斯登 纽约
2006 《Home——张晓刚》 北京公社 北京
《张晓刚展》 东京艺术中心 东京

主要群展

2010 《第二届今日文献展》 今日美术馆 北京
2009 《INAMANIA》 阿肯当代美术馆 哥本哈根
2007 《中国——面向现实》 维也纳当代艺术博物馆 维也纳
2004 《第五届上海双年展》 上海美术馆 上海
2002 《广州三年展》 广东美术馆 广州
1999 《蜕变、突破——中国新艺术》P.S.I 旧金山现代艺术馆 纽约
1995 《第46届威尼斯双年展》 威尼斯
《第22届圣保罗双年展》 圣保罗

赵能智

1968年出生于四川南充
1990年毕业于四川美术学院
现工作，生活在北京，成都

主要个展

2008 《赵能智作品展1992－2008》 阿特塞蒂画廊 首尔
《感觉的形象——赵能智个展》 瑞士艺术季节画廊 苏黎士
《自白——赵能智个展》 中国广场 纽约
2007 《幻影——赵能智作品展》 张江当代美术馆 上海
《幻觉——赵能智作品展》 曼谷当代唐人艺术中心 曼谷
《幻觉——赵能智作品展》 北京当代唐人艺术中心 北京

主要群展

2010 《改造历史——2000－2009年的中国新艺术》 国家会议中心 北京
2009 《反光——新艺术的纵深》 墙美术馆 北京
2008 《个案——艺术史和艺术批评中的艺术家》 圣之空间艺术中心 北京
2007 《超越图象——中国新绘画》 上海美术馆 上海
《黑白灰》 今日美术馆 北京
《从西南出发——西南当代艺术展》 广东美术馆 广州

钟　飙

1968年生于中国重庆

1991年毕业于浙江美术学院（现中国美术学院）油画系

同年起任教于四川美术学院油画系

现生活、工作于北京、重庆

主要个展

2010　《致未来——2010钟飙艺术现场》 张江当代艺术馆 上海

2009　《大势》 余德耀美术馆 雅加达

2008　《钟飙方位》 Galerie Frank Schlang & Cie画廊 埃森

2007　《璀璨——超过十年的探寻》 Olyvia Oriental画廊 伦敦

　　　《出神入画》 程昕东国际艺术空间 北京

主要群展

2010　《视觉艺术——东西论剑》 拉斐特市Hilliard美术馆 路易斯安那州

　　　《视觉艺术——东西论剑》 杰克逊维尔当代艺术馆 佛罗里达州

2008　《人民·历史——20世纪中国美术研究展》 中央美术学院美术馆 北京

　　　《第35届AJAC展》 东京都美术馆 东京

　　　《拥抱》 丹佛美术馆 丹佛

2007　《从西南出发》 广东美术馆 广州

周 春 芽

1955年出生于重庆
1982年毕业于四川美术学院
1988年毕业于德国卡塞尔综合大学自由艺术系
现工作、生活于成都、上海

主要个展

2010 《1971—2010 周春芽艺术四十年回顾》 上海美术馆
2008 《周春芽·绿狗·雅加达》 印尼国家美术馆，雅加达 印度尼西亚
2007 《花间记——周春芽绘画雕塑作品展》 今日美术馆 北京
2007 《周春芽绘画雕塑展》 今日中国画廊 布鲁塞尔 比利时
2002 《周春芽作品展》 TRENTO 当代艺术博物馆 意大利

主要群展

2010 《建构之维——2010中国当代艺术邀请展》 中国美术馆 北京
2009 《第53届威尼斯国际艺术双年展特别机构邀请展——给马可波罗的礼物》
威尼斯 意大利
2005 《第一届中国当代艺术双年展》 蒙比利埃 法国
2003 《你好，中国？——中国当代艺术展》 蓬皮杜艺术中心 巴黎
2002 《首届广州当代艺术三年展》 广东美术馆 广州
2000 《20世纪中国油画展》 中国美术馆/上海美术馆 北京/上海
1996 《首届上海双年展》 上海美术馆 上海

无法缺席——2011文轩美术馆开馆展

策展人：黄笃
2011年3月18日至5月18日
文轩美术馆

展览组委会

名誉主任：龚次敏（四川新华发行集团董事长、新华文轩出版传媒股份有限公司董事长）
名誉副主任：袁荣俭（新华文轩出版传媒股份有限公司资本运营总监、四川文轩艺术投资管理有限责任公司董事长）
主　任：张达星
副 主 任：黄笃、蔡家骏

主办单位

新华文轩出版传媒股份有限公司

文轩美术馆

承办单位

四川文轩艺术投资管理有限责任公司

支持单位

四川新华发行集团 四川出版集团 四川日报报业集团

四川广播电视台 四川党建期刊集团 峨眉电影集团

协办单位

建设银行四川省分行 蓝光实业集团 通威集团 会展旅游集团

媒体支持单位

中央电视台 新华社四川分社 新闻出版报 中国图书商报

出版商务周报 香港文汇报 第一财经日报 成都商报 华西都市报

四川日报 成都晚报 川报集团全媒体中心 四川电视台 成都电视台

艺术当代 当代美术家 H I艺术 艺术财经 NO·ART 画廊

世界艺术 头等舱传媒 翻翻看看 99艺术网 艺术国际 新浪四川

腾讯大成网 四川新闻网 文轩网

艺术机构支持单位

中国美术馆 今日美术馆 民生美术馆 喜马拉雅美术馆 佩斯北京

阿拉里奥北京 尤伦斯当代艺术中心 长征空间 733艺术机构

伦敦新中国艺术基金（New china Art fund） 中央美术学院

四川美术学院 四川音乐学院成都美院 四川大学艺术学院

北京保利国际拍卖有限公司 中国嘉德国际拍卖有限公司

chiswick auctions Tom keane (英国拍卖机构)

出版支持

四川美术出版社有限公司

图书在版编目（CIP）数据

无法缺席 / 张达星主编. —成都 ： 四川美术出版社，2011.3
ISBN 978-7-5410-4563-9

Ⅰ. ①无… Ⅱ. ①张… Ⅲ. ①美术—作品综合集—中国—现代 Ⅳ. ①J121

中国版本图书馆CIP数据核字(2011)第031298号

WUFA QUEXI
无法缺席——2011文轩美术馆开馆展

主　　编　张达星
副 主 编　蔡家骏
策 展 人　黄　笃
编辑助理　马俊杰
出 品 人　马晓峰
责任编辑　林雪红
责任校对　胡　奂
责任印制　曾晓峰
装帧设计　陈　曦
出版发行　四川出版集团　四川美术出版社
（四川省成都市三洞桥路12号 邮编:610031）
印　　刷　四川省印刷制版中心有限公司
成品尺寸　280mm×210mm
字　　数　220千
幅　　数　210
印　　张　22
版　　次　2011年3月第1版
印　　次　2011年3月第1次印刷
书　　号　ISBN 978-7-5410-4563-9
定　　价　280.00元